脳は何歳からでもよみがえる

中冨浩文

はじめに

脳が人生をつくる。人生は脳に現れる。

脳外科手術を執刀していると、すごく重症の方が生まれ変わったように回復したり、反対に昨日まで元気だった人がまったく別人のようになってしまうといったケースに遭遇します。

たとえば、うつと診断されて精神科に入院したある方は、脳幹部の前に5センチメートルほどの腫瘍があることがわかりました。摘出すると精神病として診断されてからの5年、6年のことをまったくおぼえておらず、借り物の人生を生きてきた感じがすると、術後、話されていました。

やはり、**脳が人生をつくっている**と思い知らされるのです。

脳神経外科医として30年間で４千件の手術をするなかで、脳とその方の生き方は直接関係していると毎日のように感じます。そこで**生き方が変わることで脳も変わる**のではないかと逆説的な発想が生まれました。

わたしも50歳を迎え、年齢とともにパフォーマンスが落ちるかなと思うところもあります。ただ、手術を含めて研究のリーダーとしてできるだけ長く最前線で指導を続けるために、何が脳によくて何が悪いのかを模索し、日々、脳機能の老化と闘っています。

米国だと医者は終身雇用で、引退は自分で決めます。メイヨークリニックの恩師デイビッド・ピープグラス先生は80歳まで診療をされています。デューク大学の福島孝徳先生は現在81歳です。50歳のときよりも今のほうが手術がうまいとおっしゃいます。

恩師の後ろ姿から、50歳でも60歳でもいくつになってからでも人は輝けるのだと実感しています。脳の顕微鏡を開発したトルコのヤサージル先生は85歳まで手術をしておられました。98歳のいまも現役の医師として活躍されています。

シンシナティ大学のジョン・M・チュウ先生は88歳となったいまも毎日1時間トレッドミルかバイクを漕いで診察をしています。細胞が老いないよう、活性化するために負荷をかけているので、年齢を経るほど運動量は増えていると言います。

脳は使わないと細胞死が起こります。脳を使うと血流が増えます。よく使われている脳は細胞の老化や損傷が起きたとしても修復します。使われていない脳は新陳代謝が起きづらいのです。

最高の脳とは何か？

この本は、脳神経外科医として一本気に仕事をし続けてきた反省の記録でもあります。「最高の脳とは何か?」というテーマについて、現代医学で明らかになっている脳についてのわかりやすい知識とともに、私たちがどのように脳を守り、育んでいけるのかを、脳の二大疾病、認知症と脳卒中に絞って、最新医学の知見による対処法と日常でできる改善法をまとめました。

日本人の死因はがんがトップです。しかし、免疫療法や光線化学療法などの新規医療技術によって、近年がんの治療成績は格段に上がってきました。

一方で、脳に関する病気の治癒率は、がんほど上がっていません。認知症と脳卒中は増え続け、まだまだ重症の方を助けられていません。

医学が進歩し、寿命が長くなっているものの、多くの人たちが心配しているのが病気に加えて認知機能ではないでしょうか。だからこそ予防が必要です。

これまで脳のパフォーマンス、脳機能を活用した人生の成功といった話は心理学者、哲学家、精神科医、脳科学者などが数多く手掛けてきました。しかし、脳神経外科医が生理学的なアプローチから述べた本はほとんどないのではないでしょうか。
本書ではできるかぎり信ぴょう性のある医学的データをもとに、再現性のある方法をまとめました。

近年は健康長寿社会で、認知機能検査のベストスコア年齢も高くなっています。脳機能のピークがくる年齢も上がっています。１９７４年から２０１２年までの調査では、語彙性ＩＱのピーク年齢は1年ごとに0・96年、およそ1歳ずつ毎年高くなっています。
欧米で重症のアルツハイマー型認知症にかかる人が減少傾向にあることを鑑みれば、世界のトレンドは健康長寿になってきていると言えます。

その流れのなかで脳を生かして、充実した人生を送るためには、脳を知る、守る、育むことが重要です。まずは脳の特徴を知ることから始めていきましょう。

脳は何歳からでもよみがえる

もくじ

第1部

知られざる脳
もっとも守られていて、もっとも弱い臓器

第2部

脳を脅かす病を防ぐ

第3部

脳を育む

脳神経回路の活性化

第1部

知られざる脳

もっとも守られていて、もっとも弱い臓器

人生は脳に現れる

人間の脳は大脳、小脳、脳幹、脊髄と大きく4つに分かれます。さらに大脳だけ見ても、前頭葉、頭頂葉、後頭葉、側頭葉と細かく分かれています。

脳は豆腐みたいにやわらかく、軟膜、くも膜、硬膜という3つの膜で覆われ、その周りは頭蓋骨、筋肉、頭皮で守られている完全に閉じられた臓器です。

脳内の細胞は3つに分かれます。ひとつは神経細胞で長い軸索（axon）をもっています。命令を伝える電線だと思ってください。たとえば、運動野から手の親指の筋肉に至るまでは1メートルくらいの長い軸索が出ています。

電気信号で命令を伝えるのに、神経細胞の膜であるリン脂質をずっと通電していたら間に合いません。そこで、軸索を部分的に絶縁して、電気が飛び抜けて跳躍伝導していく仕組みになっています。ふたつ目の細胞は軸索の周りにいて、この跳躍伝導する仕組みをつくっている細胞で乏突起細胞《ぼうとっきさいぼう》です。

みっつ目がこれら全部を支える大型の星細胞（アストロサイト）です、星細胞と乏突起細胞を合わせてグリアと言います。

このように脳は人体の中でももっとも強固に守られていて、そこでおこなわれている活動の影響は全身におよび、絶え間なく莫大なエネルギーを消費しています。

胎児から100歳以上の方まで1万人以上の脳画像分析をした加藤俊徳氏は、ある企業の会長は、70歳のときと比較して80歳のときのほうが脳が大きくなっていた、また、音楽家の脳は側頭葉聴覚野が一般の方より大きかったり、アスリートは運動野に厚みがあったと述べられています。脳は常日頃から使っているところが発達して大きくなる。人生は脳に現れるのです。

脳幹から大脳に向かって、さまざまな機能的ネットワークが存在しています。使っている部分は、木の根っこから栄養を吸収して幹が太くなり、枝分かれして葉が生い茂るように栄えます。反対に、使わないところは日が当たらない（血流が行き届かない）ので痩せ細っていきます。

生後間もない子どもの脳は比較的、白質という幹にあたる部分が少ないのです。大人になるにつれ機能分化して、厚く太くなって、さまざまな脳機能が発達します。

人間は7歳ごろまでにほとんどの脳神経の細胞分裂が終わります。なぜなら、脳の機能的な結合が大人になってからも子どもの時期と同じように続くと、異常反射が止まらなくなってしまうからです。

赤ん坊のときにはたくさんの異常反射が起こります。たとえば、手を動かすときにお腹側の筋肉も収縮してしまい、お腹側の筋肉が伸びないので関節などが協調せずに、ピタッと止まって、まったく動きが取れなくなります。必要なところが収縮して、別のところはゆるむように反射を抑えられるようになること、これが成長と言われています。

運動だけではなく、視覚や聴覚など、ちょうどいい按配で神経機能の抑制と興奮の調節がなされて、余計な反応が起きないようにすることが成長過程だと考えられています。いらない脳の結合やいらない細胞を死なせるので、3歳を過ぎると、脳の神経新生のペースが急激に落ちて、髄鞘形成は7歳ごろまでに完了します。

ただ、大人になっても脳室という脳の深い部位では神経新生がゆっくりおこなわれていることがわかっています。生まれたての脳は、神経幹細胞が脳室の部分から分裂して、表面に向かってたくさん流れて大脳が形成されます。それが大人になるとごくわずかしか起こらないので、脳室の脇にいる神経幹細胞を活性化させて傷んだところを修復に向かうようにさせる、というのが脳の再生医療の考え方としてあります。

わたしが学生時代におこなっていた基礎研究では、海馬の部分だけが脳梗塞になる動物モデルに、海馬の周りの幹細胞が増える成長因子を入れ続けたら、2週間を過ぎたところから再生し始めて、1ヵ月で海馬の細胞の約4割が再生するということを発見しました。現在、同じモデルを使った、認知症に対する再生医療も研究されています。

衣食住が裕福な環境で暮らしたマウスは海馬の神経再生が優位に増えるという実験結果があります。広い空間でランニングボールが置いてあったり、栄養豊富な食事を与えたマウスと、狭い部屋で餌も少ないマウスとでは、海馬の神経新生の量が圧倒的に違いました。**脳にいい環境はあります**。

また、細胞が新陳代謝し、肌がターンオーバーするように、**脳の細胞も生まれ変わります**。細胞内の細胞骨格（細胞を安定させる繊維状の構造）はたんぱく質で形成されています。たんぱく質は大体180日で入れ替わります。神経細胞の膜を組成するのはリン脂質でこれも代謝します。

ただ、神経細胞自体は再生しません。神経細胞は複雑なネットワークを大人になるまでに経験に基づいて構築するので大人になってから無秩序に再生するとネットワー

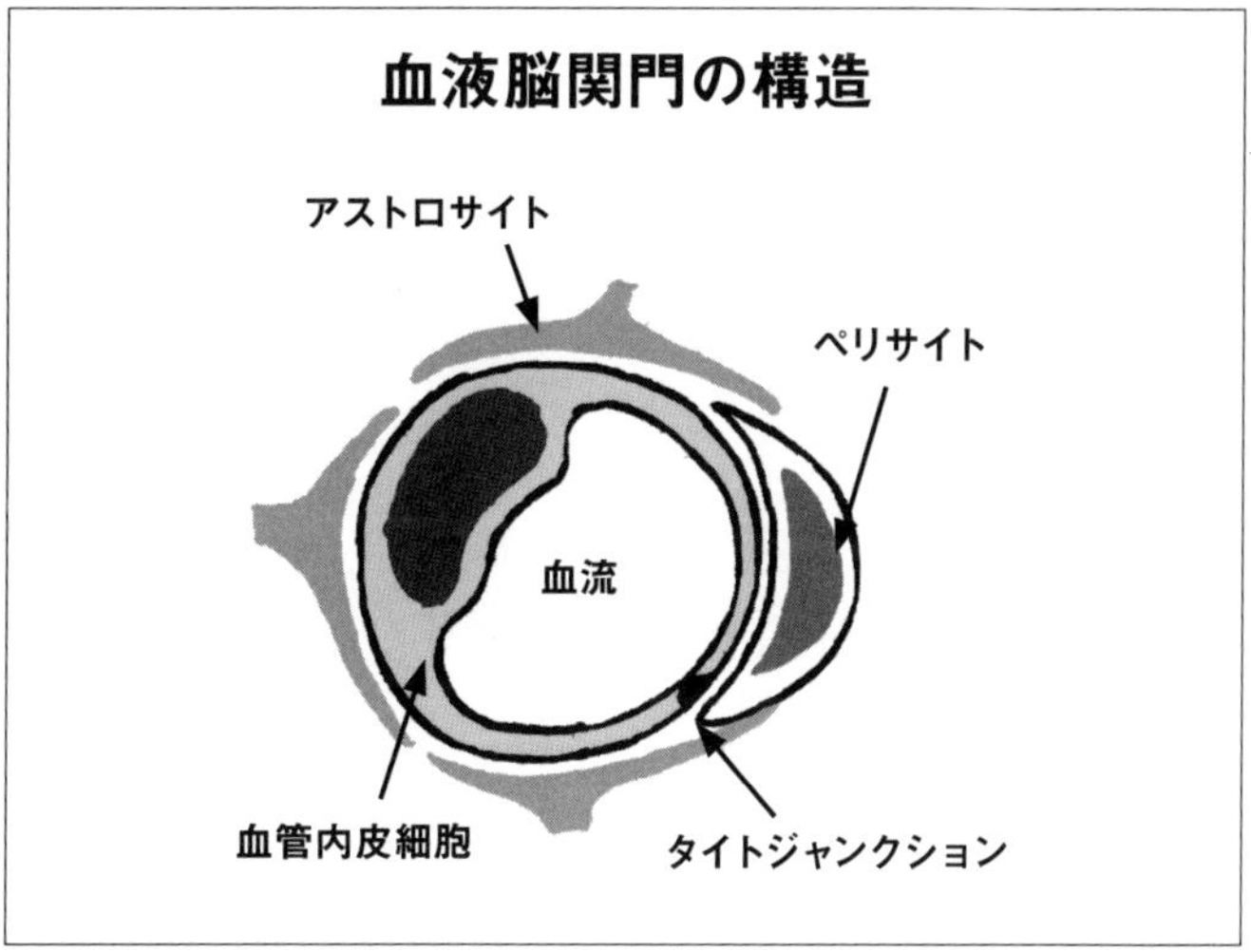

クが破綻して困ります。神経細胞を周りで守っているグリア細胞は、片足は神経細胞、片足は血管壁にくっついていて、血管の中を流れる情報ホルモンなどをつねに受け取っており、増えたり死んだりします。これをアストロサイトと言います。

脳内の新陳代謝は心臓から脳へ血液が流れることで起こっています。ただ、この境目にはブラッド・ブレイン・バリア（血液脳関門）と言って、脳内への物質の移動を厳密に管理する仕組みがあります。このため、血流を一気に増やしたり、薬によって脳の神経細胞を活発にするというのはそう簡単にはできません。
そこで最近では、ブラッド・ブレイン・バリアを形成する細胞よりも小さな薬を開発することで、脳に直接影響を与えようというアイデアも出てきました。

話を戻すと、いちばん守られていて、影響を受けにくい神経細胞は、周りが血管壁とつながっています。脳血管壁は内皮細胞、ペリサイト、アストロサイトという構造になっています。

これら3つの細胞はつねに情報交換しており、とくにアストロサイトは血管壁と直接接していて、血液中のさまざまな老廃物や化学物質の影響を受けやすいというのは考えられます。その場合、遺伝子異常なども起こしやすく、遺伝子変異が適切に修復されない場合はがん化も考えられます。

脳内の細胞が死ぬと瘢痕《はんこん》となり、隠れ脳梗塞のように跡が残ってしまいます。

脳が老けるとは？

ここまで、大人になったら成長が止まってしまうと思われていた脳が、じつは神経細胞の膜や周りの細胞が変化することによって、いくつになっても新陳代謝がなされていることを述べました。

しかし、私たちはよく「脳が若い」「脳が老ける」という表現をします。脳は組織としては新陳代謝がなされているのに、これは一体どういうことなのでしょうか？

情報を分解して出力する脳の働きを認知機能と言います。これをある側面で切り取ったときに、言葉による言語性のＩＱや視覚性ＩＱなどに分かれます。これら言語課題や視覚課題を理解し、アウトプットする能力を総称してＩＱと呼んでいます。

認知機能は遺伝的要素の関与が大きいと言われます。つまり、生まれつき頭のよい人がいるのです。スコットランドの研究では、11歳のときにＩＱを測定し、75歳のときに再度調べた結果、元々ＩＱが高い人は75歳でも高いことがわかりました。

ただし、元々のＩＱの高さが単純に比例したわけではなく、人生・経験・環境によって75歳時のＩＱには大きなばらつきがありました。

純粋な遺伝的要因だけでなく、その人がどのように生きてきたのか、**環境因子が認知機能に与える影響のほうが大きいのです。**

若いころの教育、経験、環境によって鍛えられた認知機能は、年齢を経ても衰えにくいことは間違いありません。

30年以上前まで、脳は大人になると新生しないと言われていました。しかし、記憶を司る海馬と大脳辺縁系に関連する嗅神経の嗅球は、持続的に神経新生が起きていると、１９９０年代にわかりました。

アルツハイマー型認知症とは神経細胞が死滅して増えないことだと考えられがちですが、アルツハイマー型認知症の人も神経細胞だけがなくなっているのではなく、神経細胞の周りに張り巡らされているシナプスというネットワークの力が落ちているのです。

脳は神経活動によって構造が変化します。とくにシナプスの結びつきは頻繁に変わっていて、これを脳の可塑性と言います。小中高で脳の可塑性がもっとも高くなりますが、成人期や老年期でも起こることが知られています。

2005年に米国でアルツハイマー型認知症発生率が減少に向かっていることが発表され、世界を驚かせました。1982年から1999年までの重症のアルツハイマー型認知症発生率と比較すると、ほぼ半減していたというのです。その後、同様の報告がヨーロッパからも続きました。

しかし、日本ではいまだに減少に転じたという報告はありません。日本では重症のアルツハイマー型認知症の好発年齢となっているのが、成長期に敗戦後の苦境をまともに受けた団塊世代のため、裕福な教育環境や経済的な状況が欧米と比較して劣っていたためだと言われています。

認知機能に負の影響を与える第一因子は**加齢**です。年齢とともに人は遺伝子の転写精度が落ちて、遺伝子発現が不正確となり、有害なたんぱくが増加します。遺伝子レベルでの分子障害が起こるというメカニズムです。

もっともよく知られているのは、加齢により体内で酸化反応が起こり、フリーラジカルという攻撃物質ができてくると、脂質、たんぱく、DNAを障害します。これらは結果的に慢性炎症症候群を引き起こすので、老いが進むと言われています。フリーラジカルが増える原因としては、大気汚染、アルコール、電磁波、タバコ、ストレスなどの有害因子が言われています。

老いは、これらの有害因子に一生にわたってどれほど毒されてきたのかの現れであり、その程度は個人の状態、生きてきた環境により異なるので、高齢者ほど認知機能を含めた身体機能の個人差が大きくなります。これは生活環境と習慣を注意深く改善すれば、加齢の影響を相当軽減できることを意味します。

人が年齢とともに認知機能が落ちるのは神経細胞が減るからではありません。**神経細胞が加齢だけでは減らない**ことは定説となっていて、20歳と90歳を比較すると、神経細胞の数そのものの差は10パーセント以内だったという研究があります。とくに脳の加齢により減少が目立ったのは、神経の脇に出ている神経線維です。若い人のニューロンはよく葉の茂った樹木のようで、老化が高度に進んだニューロンは晩秋の幹しかない落葉樹のような状態です。

老けないためには生活上、環境上の有害因子を避けながら、シナプスが育つ生活を送ることがよいのです。たとえば、ファイトケミカルと言われる物質が知られていて、細胞の修復、免疫力アップ、活性酸素の排除に役立つと言われています。

さらに活性酸素を減らす生活習慣として、身体を冷やさない、運動、よく咀嚼することも言われています。

認知機能については、若くから衰えやすいところと意外に衰えないところがあります。最近の調査では、年齢による衰えがもっとも早く表れる検査はDigit Symbol Codingという図形に1、2、3と番号をつけ、数字を見せただけで図形をできるだけ早く答えさせる脳機能の検査だと言われています。

脳機能を測る検査は多数あります。そのなかでもこの検査はワーキングメモリーと処理スピードの要素が混ざったもので、関連性を瞬時に思い出す作業です。いちばん成績がよいのは小学校低学年くらいの子どもです。早くも20歳台後半からこの検査で測れる脳機能は落ちていくことがわかっています。

記憶には大きく分けて、短期記憶（数日）、言葉で表現できる長期記憶、言葉で表現できない長期記憶（手続き記憶）があります。

さらにはそれよりも短い情報を保持・処理する能力ワーキングメモリーがあります。

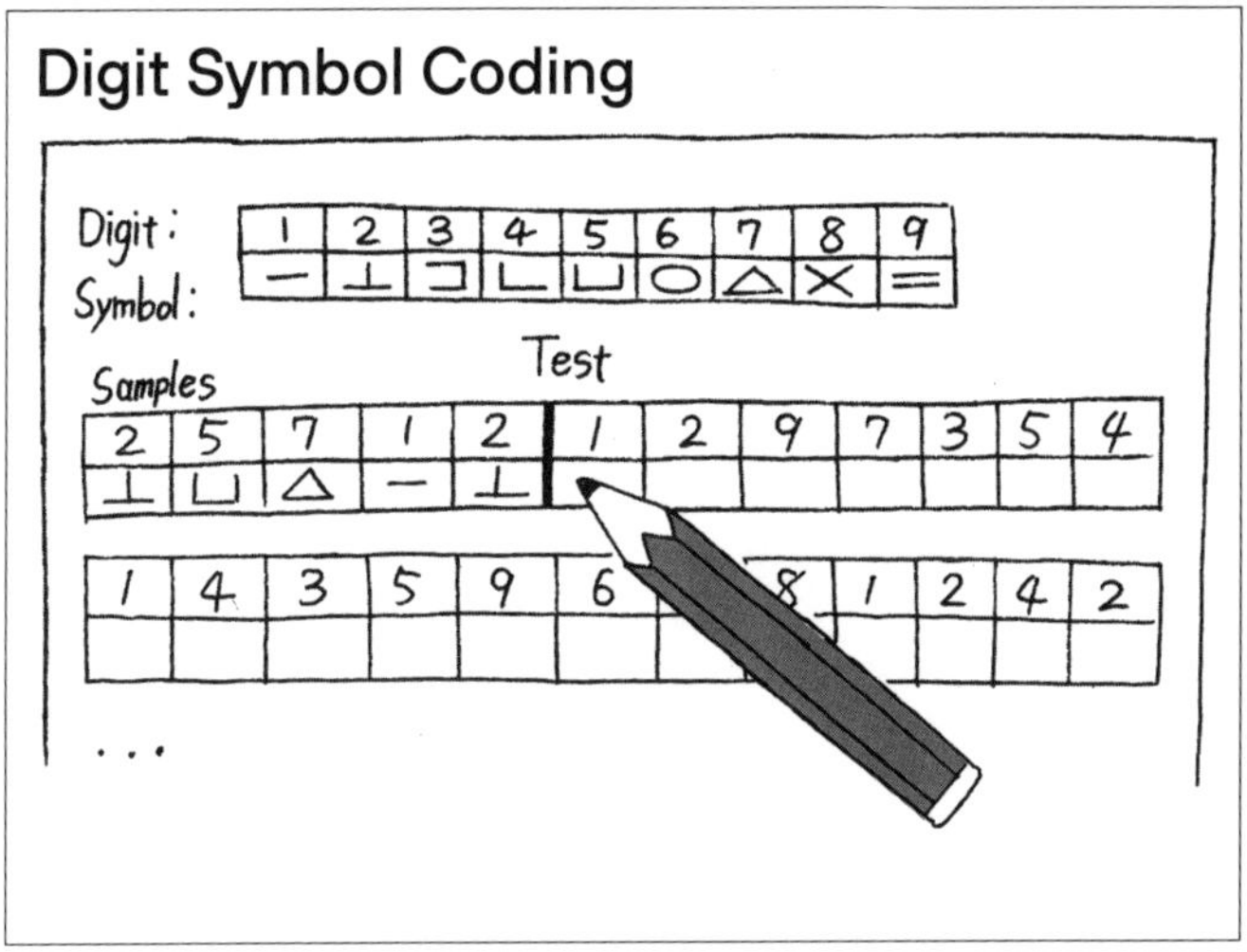

ワーキングメモリーの容量には限界があり、さまざまな出来事から命にとって脳が大事だと判断した記憶を優先的に残していると言われます。

数字や視覚に関するワーキングメモリーは40歳から下降していきます。トランプによる神経衰弱などが苦手になってきます。一方で言葉、語彙、知識などの固定化した記憶は60～70歳まで衰えないと言われています。司会者や解説者、コメンテーターが高齢でも活躍できているのは、この脳機能が比較的長く維持できるからです。

アルツハイマー型認知症の特徴は、手続き記憶を忘れることです。料理をする、トイレへ行くといった手続きが連続して必要なタスクそのものをすべて忘れてしまうのです。トイレの前で立ち止まって何をするかわからなくなるので、一般の人が物忘れと言っている程度であればほとんど問題はありません。

今ではＭＲＩを使った検査で脳の中の線維（白質）だけを画像化することができます。これをディフュージョン・テンソール・イメージ：Diffusion Tensor Image（ＤＴＩ）と言います。ＤＴＩを見れば、脳内の白質線維量、すなわち神経線維の結合がどのくらいあるかがわかります。

神経線維である白質の変化は年齢に相関します。ただ、脳血流の落ちている人のほうが白質も変化しやすいことがわかってきています。脳血管の老化がミクロなレベルで始まっている人は、脳血流が先に落ちます。２次的に脳内のシナプスの結びつきである白質の量が減ってくると、脳内のネットワークがダウンしてしまうので、認知機能が落ちてくるという概念が提唱され始めています。

つまり、**若い脳を維持するとは、脳のネットワークが円滑になるように、血管を含めて病気を予防したらよいというのが結論です。**そこで本書では脳の機能を維持するトレーニング方法だけではなく、予防すべき代表的な病気についても紙幅を割いています。

脳を鍛えるとは？

脳は厳密に守られている臓器ですが、新陳代謝をしており、変化していることがわかったと思います。そのため脳をよく使うと、その機能に応じた脳の部位の神経細胞が増える可能性があります。それは、さながらアスリートがトレーニングによって筋肉量を増やすのと似ています。

たとえばベンチプレスをすると、大胸筋の筋細胞だけではなく、運動野の神経細胞も発火します。つまり、大胸筋を動かす運動野に血流が増えるのです。トレーニングの負荷を上げ続けていくと疲労感、痛み物質などが体内に溜まっていきます。それらがトリガーとなって、脳にこれまで処理できていた負荷を破るような高負荷がかかります。そこで、もっと神経細胞の機能を上げようとして、脳室壁から神経幹細胞が刺激を受けて、その運動野をより強固にするように神経新生が起こりうると考えます。筋力だけでなく、脳もトレーニングによって強化されるのです。事実、アスリートの運動野は一般人と比較して発達しています。

つまり、**意思の力で「こうしよう」と思ったことに対して脳が適応してくる**のです。これは逆のパターンも考えられます。運動が習慣化している人はじっとしていることが苦手で、身体を動かしたくなる。片や家の外に出ることが少なく、まったく運動嫌いの人もいます。生活習慣に脳が適応して人間そのものが変わっていきます。

認知神経科学でよく出てくるのが、コンフォートゾーンという言葉です。「自分はこうするのが当たり前だ」という、脳疲労を感じないような活動の範囲が人それぞれあります。毎日ランニングしている人が「明日から散歩にしてください」と言われたら、逆にストレスを感じます。散歩のほうが負荷は軽い運動ですが、ランニング習慣のある人にとってのコンフォートゾーンではないということです。**毎日の生活の特徴が脳に現れます。**生活パターンが脳の成長、脳の健康に影響をおよぼしているのです。

恥ずかしながら、わたしは脳神経外科医でありながら、若いころは脳をまったく労ってきませんでした。月、水、金曜日の外来で30人／日を診療し、夕方からカンファレンスというミーティングをおこなって終わるのが夜の10時過ぎ。火、木曜日は10時間前後のオペ。そういう人生をかれこれ30年送ってきて、その中には音楽すら聴く余裕がなかった1〜2年間もあります。

経験を積んできたことから仕事を機械的にこなしていましたが、場の空気を読んだり、雰囲気づくりに努めたり、相手の表情や気持ちを理解、想像する、自身の喜怒哀楽を感じる、そうした細やかな人間らしい情動の生活はない時代もありました。

私自身の人生は脳機能から見ると相当に偏っていました。自分が何を人生でやってきたか冷静に考えたときに、まだまだ使っていない脳のエリアがたくさんあり、危機感をおぼえたのです。医療人としては仕事に没頭してきましたが、脳全体を使っていない。脳を労り、育むという発想がまったくありませんでした。

これから老化という現実が差し迫る年代に立ち始めて、脳を育む重要性を実感しました。手術の技術・成績を維持したい。次の世代に自分の技術を継承していきたい。老いが切実な課題として浮かび上がってきました。

脳が人生をつくる。人生は脳に現れる。脳を労り、育もう。

この言葉は、課題を見直したときに最初に浮かび上がってきた言葉です。自分自身に言い聞かせてもいます。そのために必要なのが**「脳を知る」「脳を守る」「脳を育む」**という3つの視点です。

脳は頭蓋骨で守られていて、見たり、触れたりすることができません。まずは脳とは何かをよく知ることが大事です。

わたしは米国のメイヨークリニックで働いていたときに、脳脊髄のモデル（模型）をバッグに入れて、現地の医師相手にプレゼンテーションをしていました。夜眠るときに枕元に置いて、明日の手術の打ち合わせでどう話そうかと眺めていたのです。

脳を知る方法としては、**CT、MRI、血管撮影**の順に詳細な検査になっていきます。これらを踏まえたうえで「脳ドックを受けていただく」のがいちばんです。

脳卒中の原因として、動脈瘤や脳血栓が多く、そうしたものが検査で見つかったら、現代では予防的治療が確立しているので、発症して後遺症が出る前に手立てを打つことができます。いまは必ずしも切らないですむ治療も一般化しています。

さらに病気から脳を守るだけでなく、もっと進んで脳を育んでいきましょう。たとえば、試験勉強をする直前に3分間のスクワットを3週間続けると試験の成績が上がったという結果がハーバード大学の研究で発表されました。また、指は大脳的に使う部分が多いので、折り紙やお手玉は脳トレに効果が期待できます。

脳を活性化して過ごす簡単なコツをつかむことは、誰でもできます。それが脳を育むという意味です。

脳を知る

前述したとおり、脳はほかの臓器と違って頭蓋骨でつねに守られている特別に保護された臓器です。脳外科手術でも受けないかぎりは一生、誰の目にも触れません。もちろん、心臓、胃、腸などの内臓も同じですが、脳外科手術は件数が圧倒的に少ないので、もっともいじられない臓器でもあります。

顕微鏡手術が導入された近代脳外科50年の歴史のなかで、頭部CTが出現するまでの15〜16年間は気脳撮影と言って、脳の周りに空気を入れて脳の形を影で見て手術していた時期があります。

脳の中が見えない時代から始まっていた脳外科手術を考えると、現代はたいへん精度の高い手術ができるようになっています。

心臓が5分間止まるだけでも脳死になります。また、血流が途絶えると、すなわち酸素とグルコースが途絶えてしまうと脳神経細胞はすぐに死に始めます。再生能力もほとんどないため、体内でもっとも弱い細胞と言えます。このため、脳のホメオスタシス（温度、pH、電解質）が変わらないように、ブラッド・ブレイン・バリアで特別に維持されているのです。

正常な人の脳血流は1分間に100グラムあたり50ccです。15ccを切ると機能が落ちてきて、10ccを切ると細胞死が始まると言われています。ですから、仮に血圧が下がっても大きな血管が開いて、脳血流だけは一定に保たれる自己調節機能があり、血流は内皮から放出される血管作動物質（ホルモン）によっても調節されます。

血管の周りにはたくさんの神経がまとわりついていて、血管を守っています。神経や脳のアクティビティが上がったところには血流が増えるように神経調節（neurovascular coupling）もされています。

このように、脳への過不足ないエネルギーの供給は微妙な血流変化に頼っていながら、脳は身体の全酸素消費量の20パーセントを、グルコースの消費量も全体の25パーセントを占めています。脳は体重のわずか2パーセントしかない小さな臓器です。体

脳は大きく４つの部位に分けられる

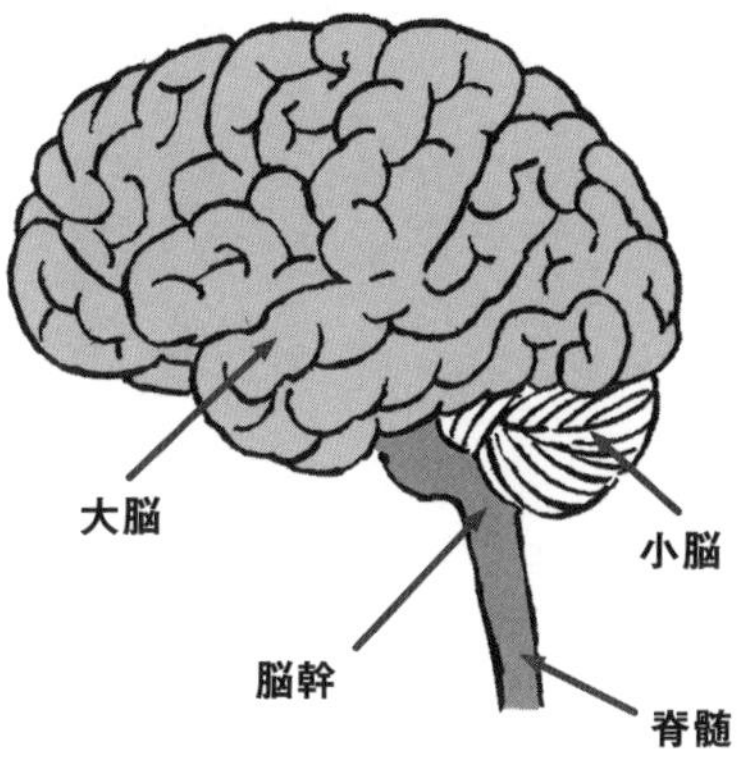

重60キログラムの人だと1・2キログラムほどなのに、非常に燃費が悪い臓器です。

さらに、エネルギーが蓄えられる体脂肪のようなストックは、脳にはありません。つねに新鮮な酸素とグルコースを消費し続けるわがままな臓器です。

脳の機能

脳は上から順に、耳から上の大脳、耳から後ろの小脳、顔の裏の脳幹、あと首から下の脊髄と大きく４つに分かれます。

大脳は高次機能を司り、多くの機能があります。

小脳はほかのどのエリアともコミュニケーションをしながら、運動をプログラムしています。

脳幹はちょうど顔の裏側にあり、顔周りの機能をコントロールし、さらに大脳、小脳、脊髄すべてをつなげる支柱として位置しており、網様体賦活系という意識のセンターがあります。これにより、呼吸、循環、意識のスイッチを入れているのです。

首から下の脊髄は、頸椎は上肢の運動と感覚、胸髄は内臓の運動と感覚、腰髄は下肢の運動と感覚というように機能分担がはっきりしています。

よく動物脳と言われるのは、大脳の中の大脳辺縁系（旧皮質）という脳幹に近い場所を指します。前方は前頭葉（理解、連想、計算、第六感）、てっぺんの部分は頭頂葉（運動・感覚）、後方が後頭葉（視覚）です。頭頂葉はいちばん未解明の部位です。大脳の右側は空間認知、左側は言語活動の統合と言われています。

イーロン・マスク氏は、脳にデバイスを埋め込んで脳機能を高める研究開発をニューラリンク社において進めていますが、これもインプラントする場所は頭頂葉の左側です。さまざまな情報がもっとも分析、処理されるエリアだからだと考えられます。

すでに運動野にロボットと連動した電極を貼り付けて、「動け」という意思だけでロボットアームが動くという再生医療は治験レベルでは成功しています。わたしは耳が聞こえなくなった人の脳幹部に電極を貼り付けて、レシーバーの音声を周波数分解して伝えると言葉に聞こえるという人工医療をおこなっています（聴性脳幹インプラント）。成功率はまだ3割ほどですが、世界では保険適用される治療法です。

視覚を失った人の再生医療も世界ではおこなわれており、5年間の臨床試験の報告があります。後頭葉にビジュアルな情報を電極で貼り付けて、視覚を再獲得させるというものです。しかし、これはまだ残像が見られるほどで、視覚を取り戻すまでには至っていません。

脳の血管

脳内にも血管があると伝えると驚かれますが、大きく4本の血管が通っています。顔の前を通る頸動脈は脳内の7割の血流を送っています。このうち2割は顔の前からY字に分かれて脳の間に向かいます。残りの5割はこめかみへ行く血管から送られています。

脊椎骨の脇を通る椎骨動脈は、首の後ろから脳に入って脳幹の前でX字にクロスします。てっぺんで脳の後ろ側に枝分かれします。この、後大脳動脈が3割の血流を送っています。

Yが7割で、Xが3割。動脈だけではなく静脈もあり、それは頭のてっぺんと後ろに戻っていきます。

認知機能の低下、老化するというのは加齢変化で障害が起こってくることです。循環器領域では「人は血管とともに老いる」と言われています。「You are as old as your artery」（あなたは血管と同年齢である）という格言があるくらい血管機能の低下が脳を老けさせます。

脳は大飯食らいの低燃費だと述べましたが、脳へエネルギー供給しているすべての機構が加齢による影響を受けます。血管系に障害が起きると脳機能障害の原因になります。抗加齢のためには、脳に必要なだけのブドウ糖や酸素が行き渡るような血管年齢を維持する。脳内の血管を老けさせないことが大切です。

脳の老化を知る

脳の診断にはＣＴ（Computed Tomography）、ＭＲＩ＆ＭＲＡ（Magnetic Resonance Imaging、Magnetic Resonance Angiography）、血管撮影、血流検査（Angiography & SPECT）、

聴力検査（Neurophysiology,Audio）、聴性脳幹反応検査（ABR：Auditory Brainstem Response）、筋電図検査（EMG：Electromyogram）、運動誘発電位モニタリング（MEP：Motor Evoked Potential）、体性感覚誘発電位検査（SEP：Somatosensory Evoked Potential）、視覚誘発電位モニタリング（VEP：Visual Evoked Potential）などがあります。

脳の老化の兆候は脳血流から見ることができます。ただ、血流を知るだけではなく、血管を含めた脳の病気予防が若い脳を維持することにつながります。

脳を知るためにいちばん簡単なのは、脳ドックを受診することです。脳卒中、脳腫瘍、脳萎縮など、脳に関するあらゆる病気や兆候がわかります。

悪性新生物（がん）、心疾患、脳血管疾患が、自殺を除けば働き盛りの40代の死因トップ3です。かつてがんは治らないという印象がありました。しかし、いまは内視鏡手術、放射線化学療法、欧米だと臓器移植もおこなわれていて、がんは決して治らない病気ではない時代になっています。

日本人の死因順位（人口10万対）

	死亡数（人）	死亡総数に占める割合（%）
第1位　がん	378,385	27.6
第2位　心疾患	205,596	15.0
第3位　老衰	132,440	9.6
第4位　脳血管疾患	102,978	7.5
第5位　肺炎	78,450	5.7
第6位　誤嚥性肺炎	42,746	3.1
第7位　不慮の事故	38,133	2.8
第8位　腎不全	26,948	2.0
第9位　アルツハイマー病	20,852	1.5
第10位　血管性等の認知症	20,815	1.5

出典：令和2年（2020）人口動態統計（確定数）の概況より著者作成

もし人類が、がんをがんゲノム医療で克服してしまうと、残るのは脳卒中、認知症です。急性期脳卒中が起こって4・5時間以内に病院に来るか、一次脳卒中センターが近くにあれば薬物治療で一命はとりとめられるシステムが一般化してきてはいますが、重症度の高い患者さんはまだまだ救えていません。

認知症についてはもっと遅れています。アルツハイマー型認知症と脳血管性認知症については、最新医療でも確立された治療戦略がありませんでしたが、昨年アミロイドβに対するヒト化IgG1モノクロナール抗体治療薬「レケンビ」が日本でも認可され、アルツハイマー病による軽度認知障害と軽度認知症の進行抑制に期待がかかります。

脳の機能不全は急性期なら意識障害、慢性期なら認知症となります。現代は人類が誰も経験したことがない長寿社会です。脳の老化という課題が重大な意味をもってきました。やけどを負った方が脳死を患った別人の顔面を移植して生きていける時代です。腕の移植も顔面の移植も始まっています。しかし、脳だけは大がかりな移植ができません。

65歳を過ぎると認知症のリスクは5歳ごとに2倍になります。認知症にはアルツハイマー型認知症、レビー小体型認知症、脳血管性認知症があります。アルツハイマー型は増えていて、脳血管性認知症との合併を含めると、認知症患者の半分を占めています。とくに女性に多くみられます。

アルツハイマー型認知症はある意味、脳内ネットワーク病だと考えると、血管からも神経からも起こります。

ここからはかなり専門的な話になりますので、読み飛ばしていただいてもかまいません。医学的に説明すると、神経線維周囲の血管（脳小血管）が加齢などにより障害されると血管を取り巻く細胞（ペリサイト：pericyte）が剥がれ落ちます。これは血液脳関門が障害されることにつながり、脳の血流が悪くなって血中の有害物質が酸化障害や炎症などを生じさせます。

脳内ネットワークの主軸である神経線維の中でこのような異常が先に起きていて、脳の老廃物排泄機構（glymphatic system）の機能が不十分となり、脳の代謝物であるアミロイドたんぱく質、タウたんぱく質の貯留などが起こって、神経細胞が埋もれて死滅していくという考えが一般的です。徐々に脳全体が萎縮していき、身体機能も失われていきます。

アルツハイマー型認知症では、しばしば脳小血管病の所見が合併します。脳血管性認知症は脳小血管病の末路であり、その前段階で、脳に微小な出血や脳萎縮などが現れます。最近では、認知機能低下に対する血管系の影響は「Vascular Contribution to cognitive Impairment and Dementia（ＶＣＩＤ）」と呼ばれ、ひとつの研究テーマとなっています。わたしもこの分野に取り組んでおり、アミロイドたんぱく質がつくられる前にタウタンパク質が異常興奮して、線維を切ってしまうのではないかという仮説のもと、神経幹細胞の移植効果を見るという研究に携わっています。

脳の異変は何年も前から起きています。認知症を発症する15〜20年前に脳にアミロイドたんぱく質が脳に溜まり始めていることがわかっています。この脳のゴミと言われるアミロイドたんぱく質が溜まりきってしまうと、軽度認知障害（ＭＣＩ：Mild Cognitive Impairment）へと進行して物忘れ症状が目立ってきます。重度化すると妄想、幻覚、人物の混乱がみられます。進行とともに「時間→場所→人物」の順に理解・認知が低下していきます。

アルツハイマー型認知症では記憶を司っている海馬と呼ばれる部分に病変が生じ、

記憶障害が起こりますが、じつは何年も前から異変は始まっています。実際のアルツハイマー型認知症の方の脳を見ると、海馬のあたりが空洞になっていたりします。レビー小体型認知症は大脳皮質、脳血管性認知症は脳全体がおもに障害されます。脳が萎縮する前には血流が落ちるので、MRI診断で脳の形を、PET（Positron Emission Tomography）検査やSPECT（Single Photon Emission Computed Tomography）検査で脳の代謝や血流を診断します。

アルツハイマー型認知症の症状

少し話が専門的になりすぎましたが、本項の最後にアルツハイマー型認知症の具体的な症状について説明します。

記憶障害

普通の物忘れでは、忘れていることを指摘されると「そうだ、忘れていた」と思い出せる。アルツハイマー型認知症の方は、体験そのものを記憶できていないため、思い出すことができない。

判断能力の低下

料理をする際、調味料をどれくらい入れたらよいかや、どんな食材を使うかなどの判断ができなくなる。さらに症状が進行すると、手順がわからなくなって料理すること自体ができなくなる。

見当識障害

今日の日付がわからなくなり、アナログ時計が読めなくなる。絵が得意な人でも、物を見ながら絵を描くということができなくなる。トイレの前に立ってもドアがわからなくなり、失禁してしまう。

よく「物忘れが多くなった」「人の名前を思い出せない」から認知症かもしれないと心配される方がいますが、人の名前くらいなら全然問題はありません。朝食の内容は思い出せなくても、朝食を食べたこと自体を忘れてしまい、食後にまたすぐ食べ始めるというのは危険な兆候です。

認知症になる前に軽度認知障害という病態が知られていて、この時期に見つけられると予防ができます。**アルツハイマー型認知症を完治させる有効な治療法は現在ありません。**アルツハイマー型認知症に対する治療薬は、早期投与することで症状の進行をゆるやかにすることがわかっています。先の「レケンビ」もそうです。早期発見が重要です。

脳の老化を予防する

ここまで脳を知り、脳が老化するとはどういうことかを説明してきました。しかし近年では、脳内だけでなく、人体はひとつの大きなネットワークであると考えられるようになってきています。

医学の進歩により、エクソソーム（exosome）という微小な物質が体内を還流していて、細胞同士のさまざまなやりとりを仲介していることがわかってきました。人体内部でも臓器や細胞同士でメッセージを発しており、そのネットワークが乱れると病気になりやすいということが知られています。つまり、脳の病気を予防するためには脳への影響を身体全体で考えていかなければならないのです。

アルツハイマー型認知症の有害因子となる代表的な生活習慣は高血糖、喫煙、飲酒、食生活の乱れ、睡眠不足、運動不足です。脳血管性認知症のリスクでもあるので避けたいところです。

高血糖

空腹時血糖126mg/dL以上だと糖尿病と診断されますが、100mg/dL以下には抑えたいです。

喫煙

50～60歳時点での喫煙量と20年後の認知症発症には相関がみられました。喫煙者の脳は5～10年、脳の萎縮を早めると言われています。

飲酒

酒は百薬の長と言われ、適度な飲酒はアルツハイマー型認知症の予防効果があるとされてきました。それを証明したとする研究も多かったのですが、２０１６年に英国の30年におよぶ観察で、長期間の飲酒は海馬の萎縮に関連するという結果が報告されました。大量飲酒はもとより、１週間にワイン１本、缶ビール６本程度の、いわゆる適度な飲酒でも、飲む人は飲まない人に比べて3倍程度の海馬の萎縮が見られました。さらに適度な飲酒がアルツハイマー型認知症を予防するという証拠も得られませんでした。

中国の大規模な疫学調査で、飲酒量の多い地区と少ない地区で血液中のゲノムの状態を比較したところ、飲酒量ではなく、飲酒そのものが脳卒中の発生リスクになっていることがわかりました。ひと昔前までは適度なアルコールは身体にいいと言われていましたが、**断酒しなければ健康効果はない**のです。

食生活の乱れ

ポリフェノール、不飽和脂肪酸、カロリー制限が認知機能維持に有効であることはよく知られています。これらは酸化障害の軽減や、抗炎症作用を介して血管の健康維持に役立っているのです。つまり、アジやサバといった**青魚**は動脈硬化の発症リスクも下げるので認知症予防に効果的です。毎日食べなさいというよりは、お肉が好きな人は、半分は青魚に変える。１日置きにしてみるといいです。

睡眠不足

米国では、睡眠不足だと脳の新陳代謝が落ち、疲労物質が蓄積されるために認知症発生リスクも高いという調査結果があります。睡眠時間は**7時間**必要だと言われています。恥ずかしながら、わたしはこの年齢になってもまだまだ守れていません。深夜までオペをして2〜3時間寝たあとに、朝5時半に起きてまた夜まで働くという日もしばしばあります。10年間くらいはそれが3日間続くことが3ヵ月に一度はあったので、やはり週末はダウンしていました。まったく脳によくない人生を歩んできたと反省をしています。

なかなか眠れないという方は、15〜30分程度昼寝をしたり、眠る30分前にお風呂に入ると、一度上がった体温が下がって入眠しやすくなります。

運動不足

1990年代から、継続的な運動習慣が認知症の予防に有効であることが示されてきました。しかし最近、運動の認知機能改善効果が明らかでなかったという大規模な研究結果も発表されました。ただし、この研究内でも高齢者に対しては有意な改善効果が報告されていて、脳を若く保つために高齢者であっても運動すべきだという結論が導かれています。

認知症が一気に進行する典型的な例でよくあるのは、足を骨折してから歩かなくなったというケースです。**1日30分程度歩くのでもかまいません。**大脳血流を上げるいちばん簡単な方法です。過剰な運動はフリーラジカルを増やすので適度な運動で十分です。外に出るのが億劫な人は、後述する運動も試してみてください。また、脳の血流を物理的に上げるためには逆立ちも顕著に効果があります。できる人は毎日1分でもしてみるといいかもしれません。無理なく毎日の生活に習慣として取り入れることを目標としましょう。

検査

ここまで脳に悪い生活習慣について述べてきました。今現在、脳がどのような状態かを知るために、脳ドックの受診をお勧めします。

脳が萎縮する前には血流が落ちることがわかっていますし、アルツハイマー型認知症の原因となるアミロイドたんぱく質を見つけるPET検査も進歩しています。とくに65歳以上でまだ脳ドックを受けたことのない人は、必ず一度は検査をしていただきたいです。血管が詰まったり、破れたりすることで脳卒中により神経細胞が破壊されて、脳機能が失われて認知症症状が出る場合は急激に進行します。

一方で脳のゴミと呼ばれるアミロイドたんぱく質が溜まることで、認知症が10～15年かけて穏やかに進行することがわかっています。どちらも注意したい疾患です。

人間の身体の老廃物はリンパ液によって排出されます。しかし、脳にはリンパ管が存在しないため、脳血管周囲の髄液で満たされた空間を「グリンファティックシステム」と呼ぶようになりました。

最近になり、この空間が脳脊髄液を導く管であり、脳のリンパ管とも言える役割を果たしていて、とくに睡眠中にアストロサイトの体積が縮小してこの空間が広がり、脳脊髄液が脳組織を通過しやすくなることがわかってきました。よい睡眠中にこそ脳の間質に存在する老廃物が効率的に除去されるため、睡眠不足は脳機能低下の原因となると言われています。

脳の老化を治療する─薬剤、食事制限、NMN─

2021年の「サイエンス誌」に、東京大学医科学研究所の中西真教授らの研究グループが、老齢のマウスにGLS－1という酵素の働きを阻害する薬剤を投与したところ、老化細胞の多くが除去され、老年病や老化が改善したと発表されました。

老化は、ゲノムの守護神とも言われるP53という遺伝子が特定の時期に活性化することで細胞が増殖サイクルから外れることから始まるということがわかっています。そこでこの研究ではP53遺伝子を活性化させ、純化した老化細胞を人工的につくり出しました。

この人工老化細胞に影響を与える遺伝子をスクリーニングすると、GLS－1という酵素が老化細胞において特異的に高く発現していることがわかりました。

そこで中西教授らは60歳の老いたマウスにGLS－1の阻害薬を投与してみたところ

ろ、老化細胞が選択的に死ぬだけでなく、筋力が30歳レベルまで回復したことが観察されました。さらに老化に伴う腎機能低下と加齢による線維化した肺機能が回復し、動脈硬化も大きく改善するという結果が得られたそうです。老化そのものが病気であり、治療できるとする学説も生まれています。

また、最新のアンチエイジング研究では、サーチュインという物質が注目されています。サーチュインは体内を駆けずり回って、どの遺伝子にスイッチを入れ、どの遺伝子をオフのままにしておくのかを調節しています。それによってDNAの修復や細胞をストレスから守ったり、老化の原因である酸化を防ぎます。サーチュインは細菌から哺乳類までがもつサーチュイン遺伝子からつくられているタンパク質です。

もしサーチュインがうまく働かず、活性化すべき遺伝子を元気づけられなかったり、黙らせるべきではない遺伝子が沈黙してしまっていると、細胞はアイデンティティを失って正しく機能しなくなり、老化が始まります。

マサチューセッツ工科大学のレオナルド・P・グアレンテ教授とワシントン大学の今井眞一郎教授によって、サーチュイン遺伝子の活性化が長寿につながることが2000年に発表されました。

さらにハーバード大学医学部のデビッド・A・シンクレア教授によってカロリー制限によってもサーチュインを活性化させると述べています。

2009年のウィスコンシン大学の報告では、食事のカロリーを30パーセント制限したアカゲザルは、制限なく食事を与えたサルに比べて、糖尿病、心血管疾患、がんといった加齢に伴う病気での死亡および、脳萎縮が減少することが示されました。

サーチュインの燃料となるNAD（ニコチンアミドアデニンジヌクレオチド）、さらにその原料となるNMN（ニコチンアミド・モノヌクレオチド）はアンチエイジング効果のあるサプリメントとして市販されています。マウスに12ヵ月間NMNを投与した研究では、老化抑制効果がみられました。加えて心不全や糖尿病、アルツハイマー病抑制に対する有効性もその他の研究により、示唆されています。

COLUMN

性格とは何か？

私たちの「こういう場面でこうする」という行動は記憶、感情、反応パターンとして紐づいています。Ⅰの課題にそれぞれ記憶1、感情1、反応Ⅰの連鎖があります。100の課題があれば100の連鎖反応があります。つまり、100の課題に対しては100パターンのなかで特定のひとつの連鎖反応を私たちはします。これには脳内ホルモン（セロトニン、ドーパミン）も関わっています。人は心地よいことをしてしまうので、同じ課題でも報酬系のホルモンが活性化する反応を選びやすくなります。

自分にとってプラスかマイナスかを判定するのは扁桃体です。自分にとってよい選択か、害があるかについて相手の目や表情などを見て、脳は感じ取っているはずです。賢明な判断をするためには、情動や感情の処理をおこなっている扁桃体が活性化するようなこと（恐怖、不安、怒りなどのネガティブな感情）を避けることです。

同じ課題に対して毎回違う反応をすることもあれば、似たような反応をすることもあります。そのアルゴリズムが性格です。反対に言えば、「この場面ではこう行動する」というセットされたパターンを変えることもできるはずで、性格も変えることができると思います。

第2部

脳を脅かす病を防ぐ

脳卒中

脳は体重のわずか2パーセントしかない小さな臓器だと述べました。しかし、心臓から出る血液量の6分の1を使用しています。

普通の臓器の10倍血液が供給されていないと機能しない燃費の悪さと同時に、普通の臓器より血流が10倍多いので、血管が豊富でトラブルが多い臓器です。脳の神経細胞の栄養分は酸素とブドウ糖なので、それを届ける唯一の手立てである血流が滞ると、ものの5分で脳の神経細胞は死に始めてしまいます。このことからも脳機能にとっていちばん大事なのは血流とそれを運ぶ血管であることがわかります。

脳卒中はかつて日本人の死因の第1位でした。１９８０年に悪性新生物（がん）、１９８４年に心疾患に抜かれ、死因の第4位となりましたが、欧米の生活スタイルや

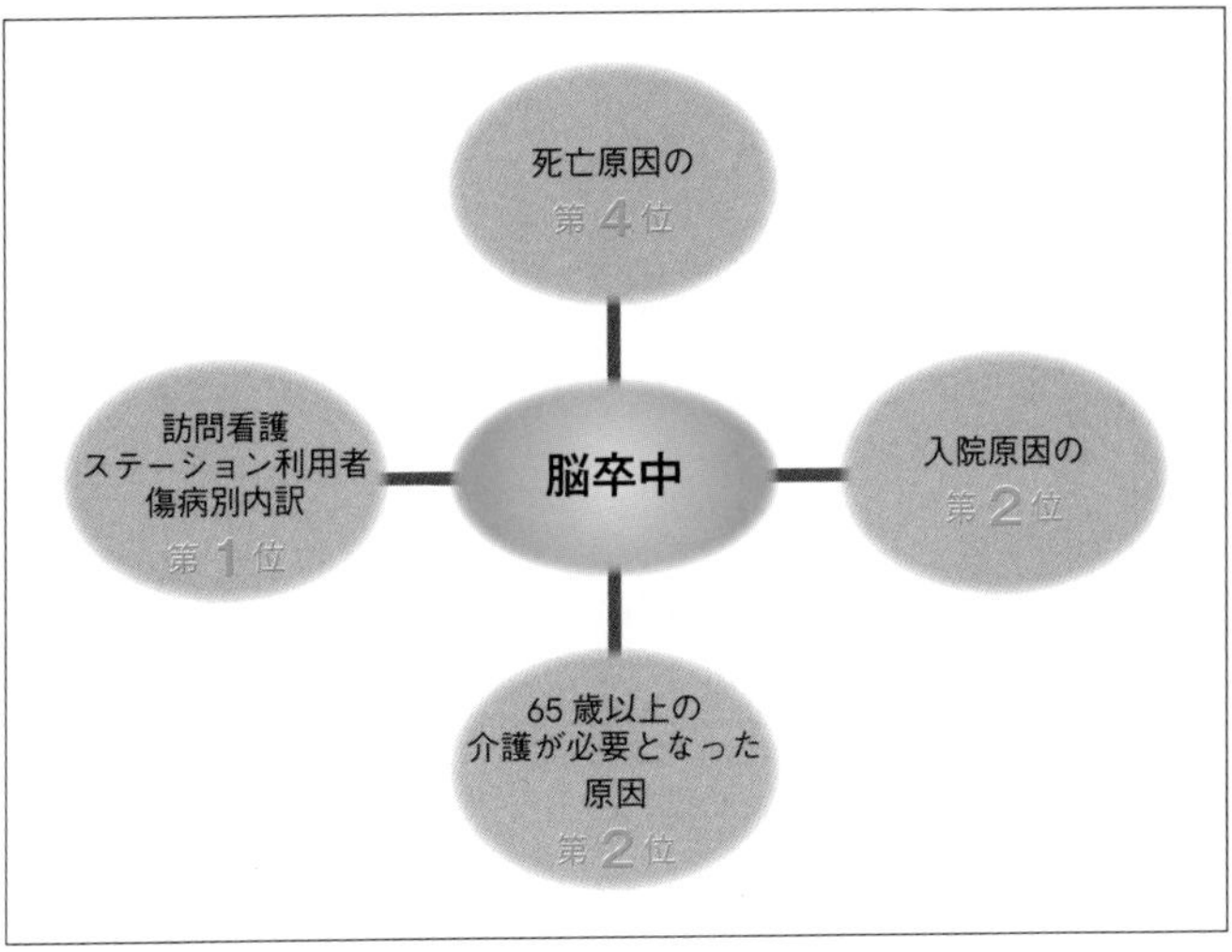

食習慣によって、動脈硬化や心臓の病気を基盤とした脳卒中患者が増えています。1990年には143万人だった脳卒中の有病者は2020年には300万人に達しています。

脳卒中は一命をとりとめても後遺症が残って寝たきりになったり、さまざまな医療サービスを受けないと生き長らえない可能性の高い病気の筆頭で、多くの医療資源を必要とします。医療費45兆円のうち約1・8兆円が脳血管障害に使われていて疾患別で見れば第2位です。

脳血管は首から下の血管とは違って構造的に脆いのです。血管は大きく見ると内膜、中膜、外膜に分かれています。それらはすべてタンパク質なので、血管内を通る血液を押さえ込む力はほとんどありません。そこで内膜と中膜の間に弾性板という弾力のある組織が1枚あります。首から下の血管は、この弾性板が中膜の内側と中膜の外側に2枚あるため、血管を二重に施錠するような形で守っています。内膜、中膜、外膜と弾性板2枚の5層構造です。

しかし、なぜか脳血管だけは中膜の外側の弾性板がほとんどなくなっていて4層なのです。動脈瘤のできた脳を手術治療すると、血流が渦巻いているのが見えるほど血管壁が薄いのです。

脳血管は内弾性板だけで血圧を押さえ込んでいるので、首から下の血管に比べて耐久力がありません。とくに血管が分かれるところは、どうしても弾性板が縮れたり切れたりします。血管が傷つくと、修復のためにさまざまな細胞が付いてスベスベにし

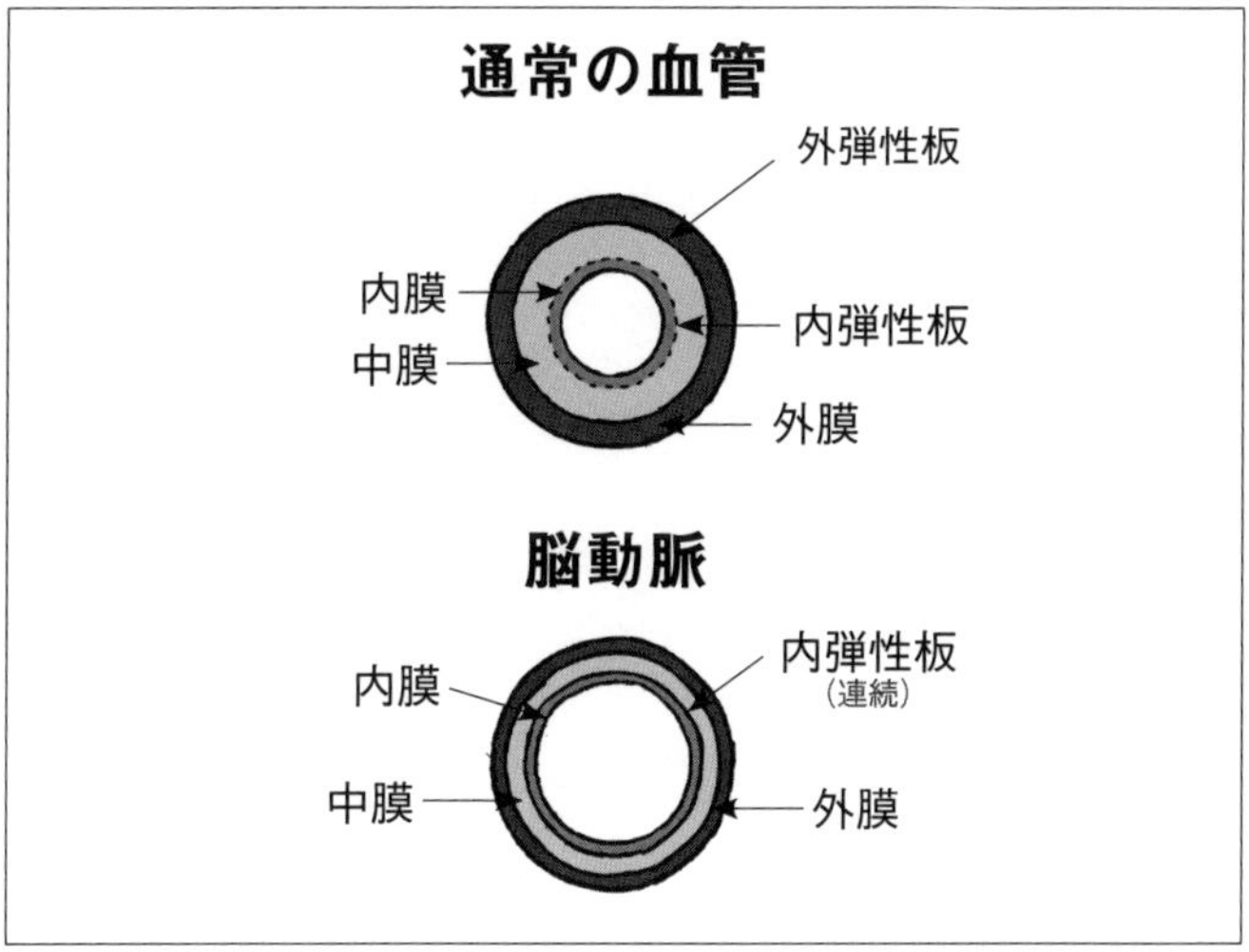

ようとする働きが出てきます。こうした損傷と修復が繰り返されると動脈硬化が始まります。そこに血が付着しやすくなり、血栓ができます。

脳卒中とは、脳の血管の病気全般を指していて、『脳卒中データバンク2021』（国循脳卒中データバンク2021編集委員会編、中山書店、2021年）によると、脳梗塞74パーセント、脳出血が19・5パーセント、くも膜下出血が6・5パーセントとなっています。日本人は欧米人の3倍、脳動脈瘤が破れやすいと言われます。

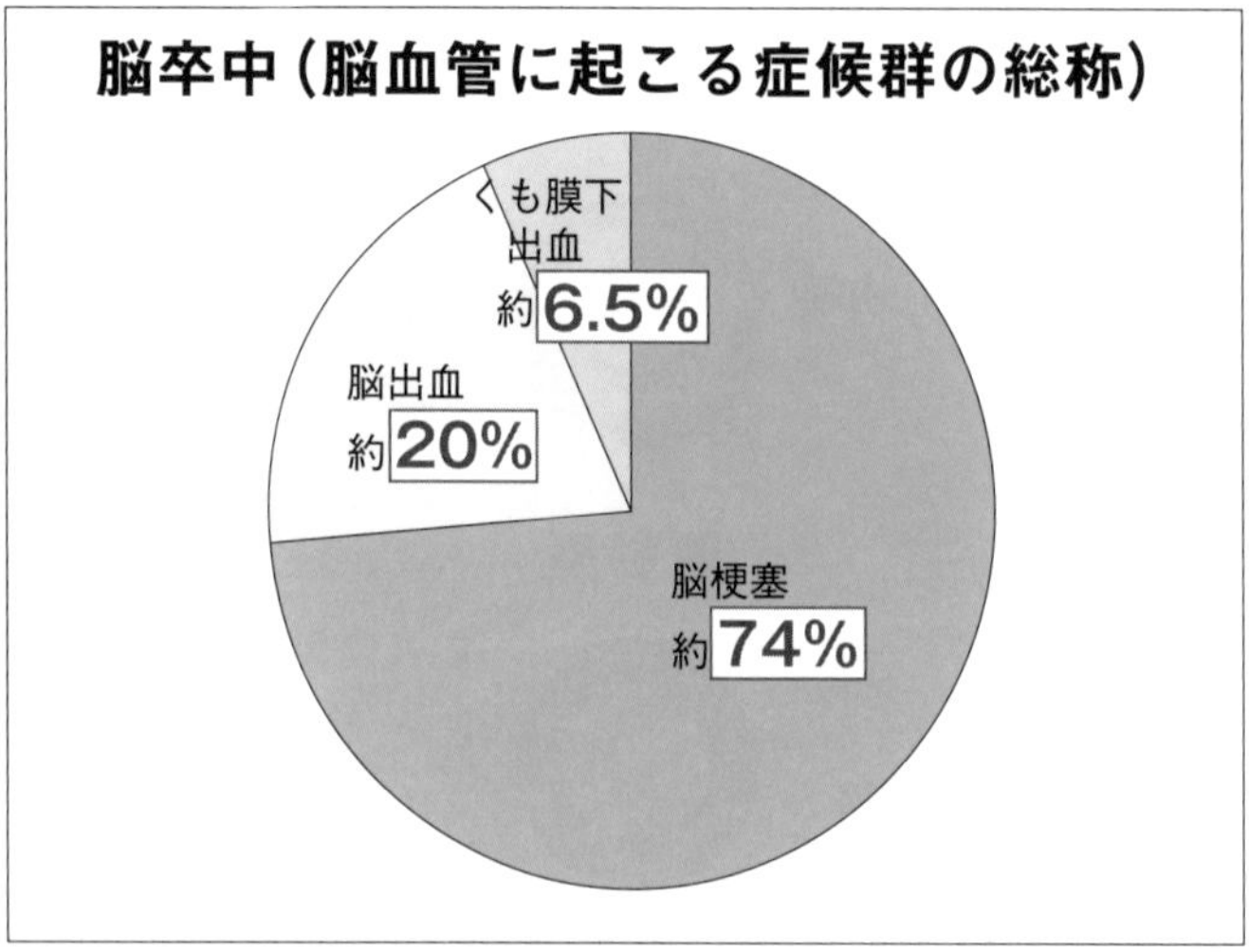

脳出血は医療の進歩により、高血圧の管理がうまくいくようになって徐々に減ってきています。くも膜下出血の発生率は変わらず、10万人に20人ほどです。

脳卒中の有病者数が年々増えていると述べました。これは**脳梗塞**が増加しているからです。女性ホルモンは脳梗塞に対する虚血耐性を誘導すると言われているので、男性のほうがかかりやすい病気です。健康長寿社会が謳われる世の中で、脳卒中と認知症は非常に多くの医療資源を消費しています。

脳梗塞のなかでも重症化しやすいの

は、脳塞栓症です。脳血管は、頸動脈が7割の血流を送っていると述べました。もし内頸動脈が詰まってしまうと、脳血流が大幅に不足してしまいます。突然、完全に詰まることを脳塞栓症と言います。動脈硬化が進行し、徐々に血管が細くなっていくことを脳血栓症と言います。脳塞栓症のほうが危険です。

よくあるのは、心臓に不整脈があって、心臓の中の血栓が脳に飛ぶケースです。心臓の中に右心耳という袋があって、生まれつきそれが大きい人は、血栓が溜まりやすくなります。上皇陛下執刀医の天野篤先生は、心臓のバイパス手術は成功したものの、術中の判断で脳梗塞のリスクを考えて右心耳を切り取ったと講演されていました。

脳の中の細い血管が詰まる場合をラクナ梗塞と言います。脳は大きな血管から枝分かれするミミズみたいな形の血管が無数に走っています。これを穿通枝と言います。

多くの場合、脳出血は穿通枝が動脈硬化で傷んで細くなってしまったあとに、血圧に耐え切れなかったときに破れます。また、血圧は良好でも血圧が低くなりすぎると穿通枝も詰まります。このように穿通枝が詰まった疾患をラクナ梗塞と言います。日

脳梗塞とは？

脳梗塞

↓

血管が詰まることで、その先の脳細胞に血流が行きわたらなくなり、酸素や栄養分を送ることができず、障害が生じる病態

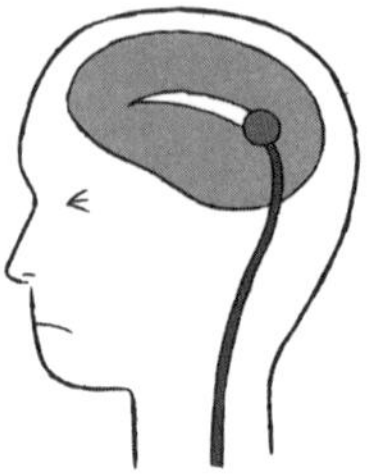

ラクナ梗塞

脳の中の細い動脈が狭くなって、血管が詰まる。
（日本人に多い）

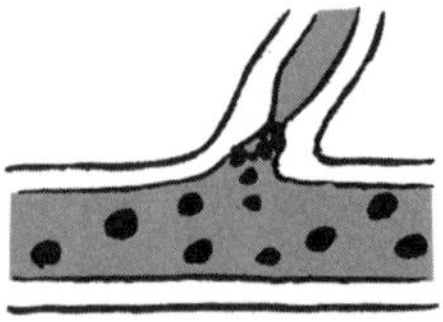

アテローム血栓性梗塞

脳の中の比較的太い動脈の内腔が狭くなり、そこに血栓が付着するため血管が詰まる。

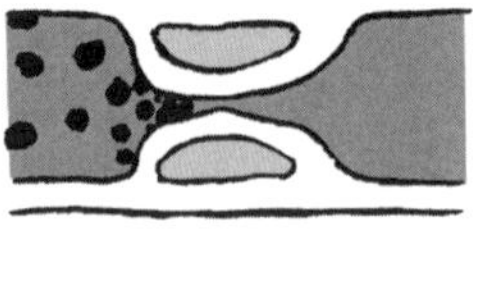

心原性脳塞栓症

心臓でできた血栓が血管内を流れてきて、脳の血管が細かくなったところで流れをせき止めてしまうため血管が詰まる。

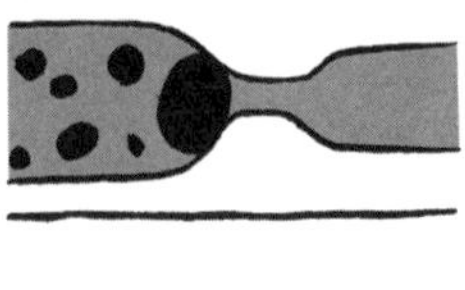

☞できるだけ早く血管の“詰まり”を取り除き、血液の流れを正常化させることが大切。

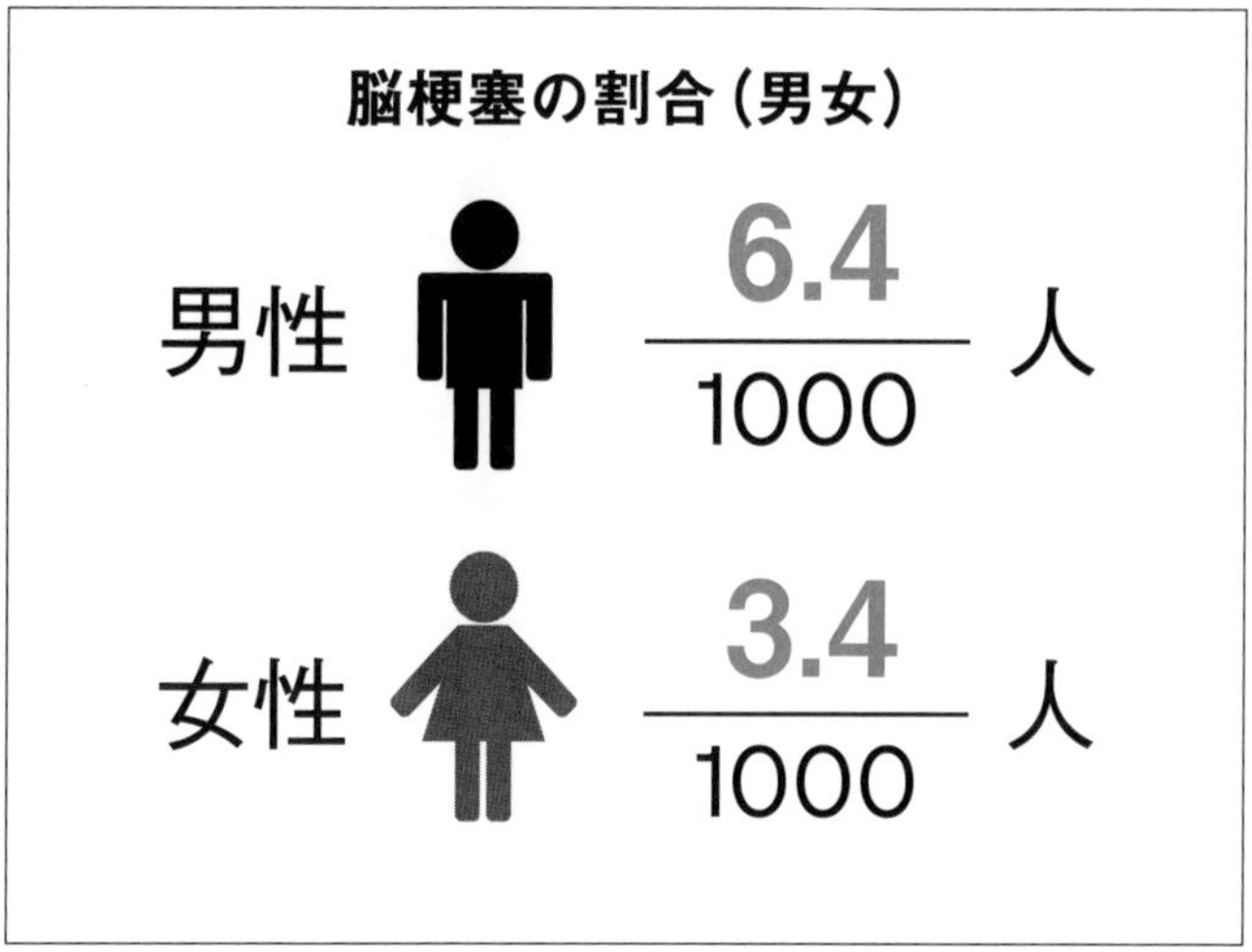

脳梗塞の割合（男女）

本人に多い疾患です。画像診断ではほんとうに小さな影しか写りませんが、症状が非常に悪く出ることがあります。これに対する予防は、抗血小板剤という脳の中の細かな血管が詰まるのを防ぐ薬を始めます。

また、Ｙ字の内頸動脈や、Ｘ字の椎骨動脈に動脈硬化が起きて細くなり、あるとき血栓で詰まると、アテローム血栓性脳梗塞になります。太い脳血管が動脈硬化を基盤として詰まりかけているので、ステントを置くか、完全に詰まってしまった場合には、脳の血管のバイパス手

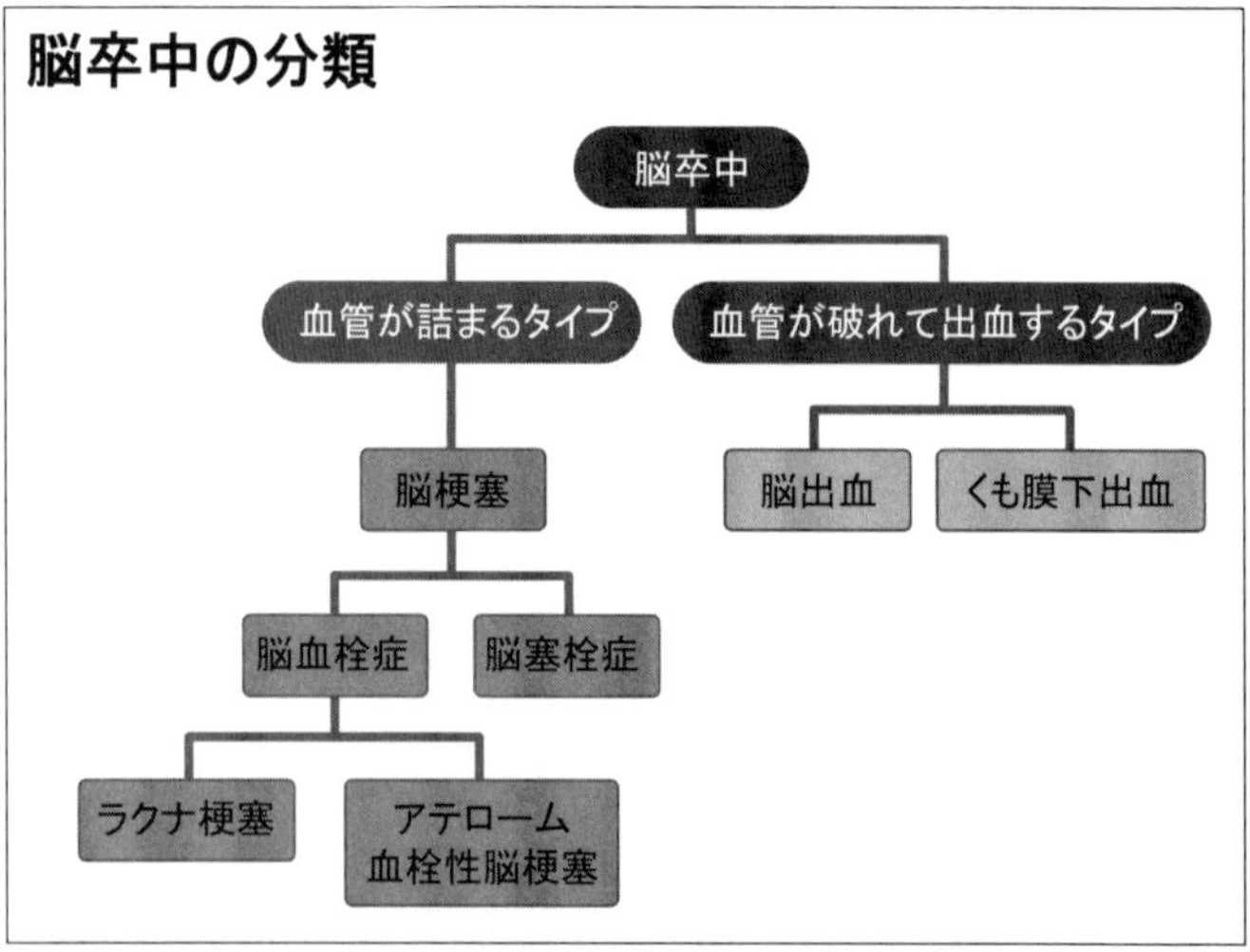

術をおこなう場合もあります。

さらに、心臓でできた血栓が血管内を流れて脳血管を詰まらせることを心原性脳塞栓症と言います。多くの場合、心房細動という不整脈をもっている方がほとんどです。治療としては、できるだけ血管の中の詰まった血の塊を取り除くか、溶かす治療が一般的です。

脳梗塞のなかで、徐々に動脈硬化が出てくるアテローム血栓性脳梗塞が31・5パーセント、ラクナ梗塞が28・2パーセント、心臓から血栓が飛んでくる心原性脳塞栓症が28・8パーセントで、おおよその3対3対3の割合になっています。また、その他の脳梗塞は11・6パーセントとなっています。

一方で、血管が破れる脳の病気は脳出血、または、くも膜下出血です。これも同じで穿通枝が破れると脳出血となり、大きな血管の分岐部が膨らんだ脳動脈瘤が破れる場合をくも膜下出血と言います。脳は豆腐ぐらいの硬さしかないのですが、出血をがんばって押さえ込もうとする力は元々ありません。そのため、脳出血をCTで見ると丸い球体のように広がり白く映ります。

くも膜下出血の原因は脳動脈瘤で、これが破れて脳の表面に血の海が広がります。脳の表面で破れるため、表面の溝に沿って、出血が色々なところに広がります。日本人の100人に5人は動脈瘤を持っているので、動脈瘤の予防が大事です。

脳梗塞の予兆

ここまで読んで、脳梗塞は恐ろしい疾患だと思われた方もいらっしゃるかもしれませんが、脳梗塞には予兆があります。一過性脳虚血発作と呼ばれていて、脳に行く血流が一時的に詰まるけれども24時間以内に症状が消える病態です。一過性脳虚血発作が5、6回続いたら、脳梗塞になりやすいと言われています。

顔や手が動かないときに、医者は麻痺と言いますが、患者さんはしびれと表現します。どの方も、両手を10秒くらい挙上したまま目をつむるということはできるはずですが、脳梗塞を起こしていると5秒もたたずに手が下がってしまいます。

間違えやすいのですが、医学的には、しびれは感覚の症状なので感覚野がやられたと受け取ります。一方で手が動かないというのは麻痺なので運動野がやられたと考えます。違いがあるので、医師とのコミュニケーションは大切です。

右の頭頂葉は空間認知、左の頭頂葉は言語性の認知を司っています。右の頭頂葉の血流が滞ってしまうと半側空間無視になります。左空間が世の中に存在していないような感覚になって、左から話しかけると、見えてはいても反応しない。半分姿が見えたら左を向くようになるものの、視界の左にいるあいだは全然気づかないといった症状です。

また、後頭葉は視野を司っているので、たとえば、左の後頭葉は右半分の視野を解析しているため、左後頭葉に異常があると右半分の視界の反応が鈍ります（同名半盲）。

左の頭頂葉は言語性の認知を司ると言いました。脳の左側、言語野の周りにあるブローカ野、ウェルニッケ野、角回の3つをつなぎとめているどこかが切れても言葉が出にくくなります（失語）。

多くの人は物事を言葉と関連して理解しているので、言語性の認知が異常を起こすと、いつもおこなっていたことができなくなります。たとえば、たばこを吸うためにマッチを擦るという一連の行為を忘れてしまいます（失行）。同様に、リンゴであると記憶していたはずなのに、言語性の認知がなくなってしまうと、リンゴというキーワードを含めて認識できなくなります（失認）。さまざまなものを統合する能力がなくなって、自分が何を認識しているのか、そのものの概念が壊れてしまうのです。

このような症状が前触れとして30分以上出たら、医療機関を受診しましょう。とくに顔の麻痺（笑顔をつくっても片側しか口角が上がらない）、腕の麻痺（両腕を上げると片方だけ上がらない、すぐに下がってしまう）、言葉の障害（言葉が出てこない、ろれつが回らない）は脳梗塞を見つける糸口になりやすく、脳梗塞発症から4・5時間以内に病院につければ、tPA（tissue Plasminogen Activator）という血栓を溶かす治療薬を静脈注射しただけで脳血流は大きく回復します。

脳卒中によるおもな症状

片麻痺
一般に片方の脳が障害されると、反対側の半身が麻痺する

失　語
言葉が出てこない、他人の言うことが理解できない

半側空間無視
見えているはずなのに左側（ときに右側）の物を無視する

同名半盲
両方の眼の同じ側の視野が欠ける

失　行
いつもおこなっている動作ができない

失　認
よく知っているはずの物や人の顔が認識できない

進化する脳梗塞の治療

脳血管の直径は目の奥で4～5ミリメートルです。そこにそれより大きなサイズの血栓が詰まります。

脳を守るための治療としては、血栓を溶かす薬、循環血液量を増やす薬、脳圧を下げる薬、抗血小板薬、抗凝固薬などさまざまなものがあります。また放射線治療もあります。

近年、劇的な効果を見せている治療薬が先に述べたｔＰＡです。全身の血栓を溶かします。４・５時間以内なら著効があり、副作用は血の巡りがよくなりすぎて出血が起こる可能性があることです。

また、いまはどの施設でもカテーテル治療で、切らずに血管内治療ができるようになり、脳卒中の治療成績がよくなっています。

　カテーテル治療は下肢のつけ根から入れるだけなので、脳への負担が少なく、治療時間も短いのが利点です。何度かの治療を要する場合があったり、X線診断でおこなうために、被ばくに注意が必要です。

　脳梗塞を起こすものとして心原性脳塞栓症がいちばん重症化します。できるだけ早くtPA治療をおこなうか、カテーテル治療で血栓を除去することが大切です。最初は、大きなカテーテルを血栓近くまで持って行って血栓を吸う、あるいはマイクロカテーテルを血栓の近くまで持って行って溶かす薬（ウロキナーゼ）を振り掛けるという治療がなされていて、成功率は3割程度でした。そこで登場したのが、血栓の中で風船（バルーンカテーテル）を膨らまして血栓を砕く治療法が出てきて、ようやく5割にまで上昇しました。

　続いて、掃除機みたいなバキューム吸引器を血管の中に持って行って、強い吸引器でぐっと引いてしまう。血栓を吸引したまま、このカテーテルを引いてくることで治療の成功率は8～9割になりました。

最後に、血栓の中に網目状のステントを染み込ませて、からめ捕って持って帰ってくるという治療法が開発されて再開通率は8～9割以上です。

これが今、一般的なステント型の血栓回収療法です。多くの施設で脳梗塞の治療は5～6割がカテーテルで、4割ぐらいが手術です。

血栓回収は治療直前、意識がある人で6時間以内であれば適用範囲内です。24時間以内でも条件を満たせば、血栓回収療法は現在可能になりました。脳梗塞がすごく大きく出ている場合は、tPAが使えないためにカテーテル治療をおこないます。さっきまで何を話しているのかわからなかった人が、脳血管の詰まりがなくなった途端、別人のように症状がよくなるということが日常的に起きます。それくらい脳血流は大切なのです。

カテーテル治療の種類

血栓回収療法（吸引カテーテル）

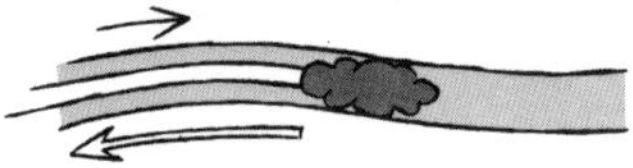

血栓を吸引したままカテーテルを引き抜く

・再開通率８～９割
・問題点：あまりない。カテーテルの操作に工夫が必要

血栓溶解療法

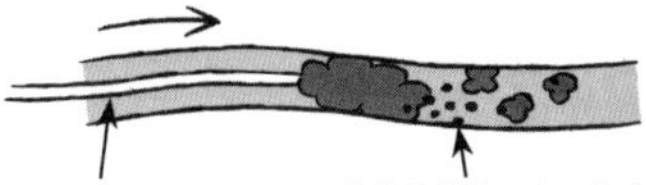

・再開通率低い（3 割程度）
・問題点：末梢の塞栓、脳出血

血栓回収療法（ステント型）

マイクロカテーテルを引き抜くとステントが拡張する

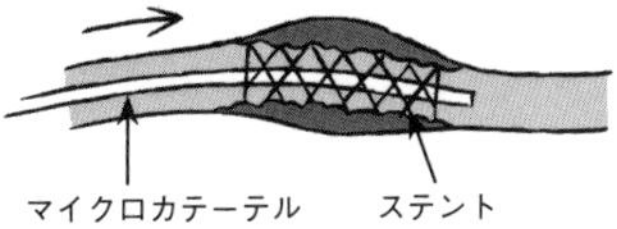

・再開通率８～９割以上
・問題点：穿通枝出血（少ない）

血管拡張療法

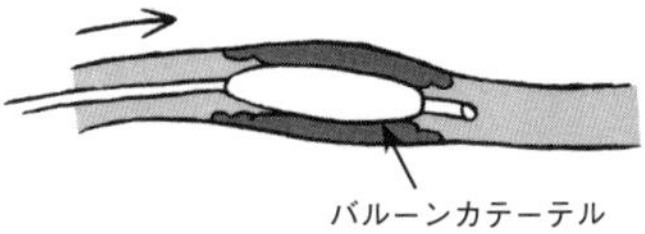

・再開通率はやや良好（5 割）
・問題点：血管壁の解離、血管破裂 / 穿孔

最初の治療がうまくいくと、当日、重症で来ても、翌日には軽症になるので、リハビリテーションを始められます。リハビリテーションは始めるのが早いほど予後（3ヵ月後の自立率）もよくなります。リハビリテーションは、麻痺などがなく、ある程度の日常生活が自立できたら必要なくなります。

寝たきりであっても、徐々にヘッドアップして、座位が取れるようになること、歩行器が使えること、つえが使えること、自力で歩けること、この6段階の回復を歩みます。

急性とは発症して3日以内の状態のことを言います。慢性は3週間以上経過した状態です。急性な変化を経て慢性に至るので、急性期の症状が強かった人ほど、慢性期に強い影響が残ります。

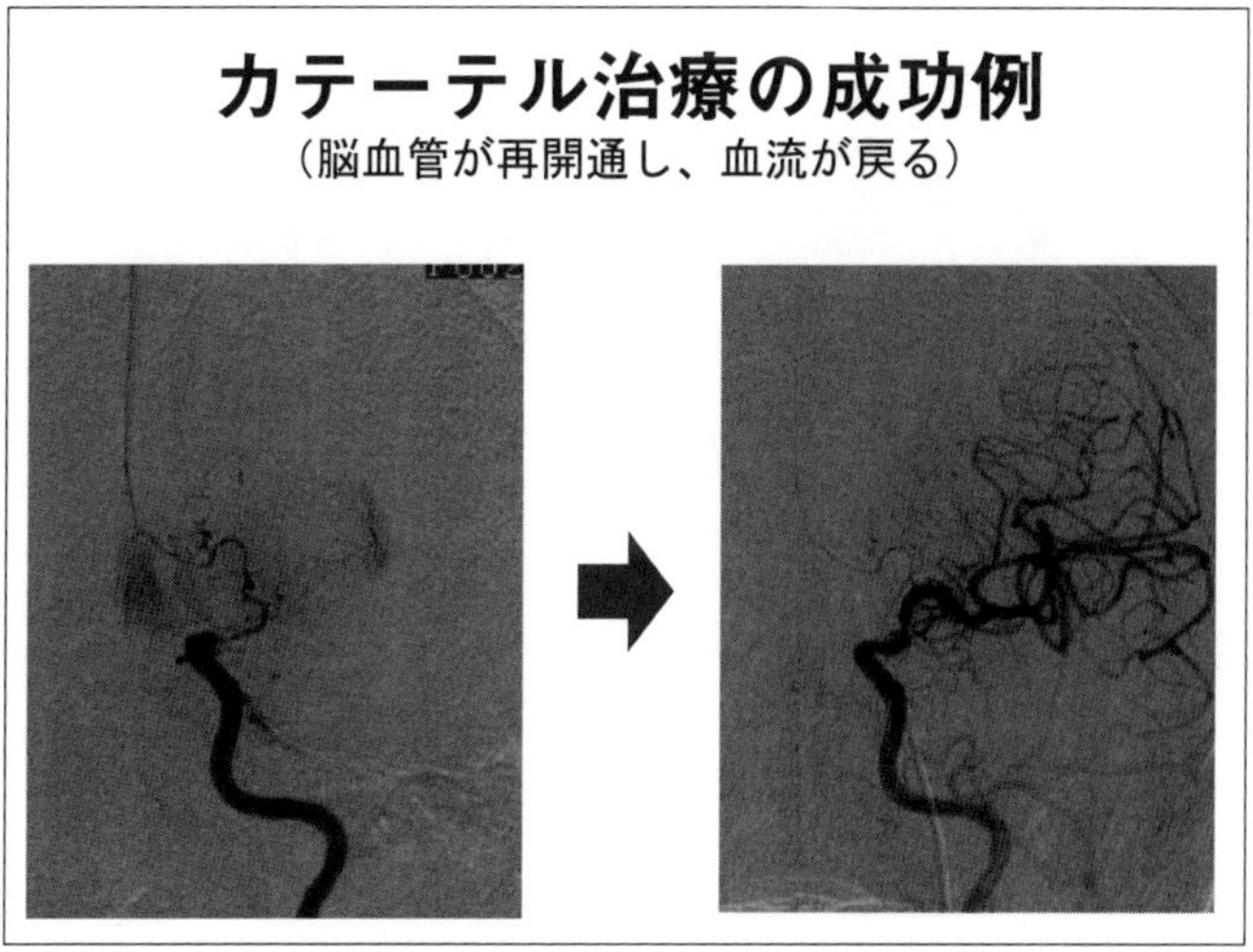
カテーテル治療の成功例
（脳血管が再開通し、血流が戻る）

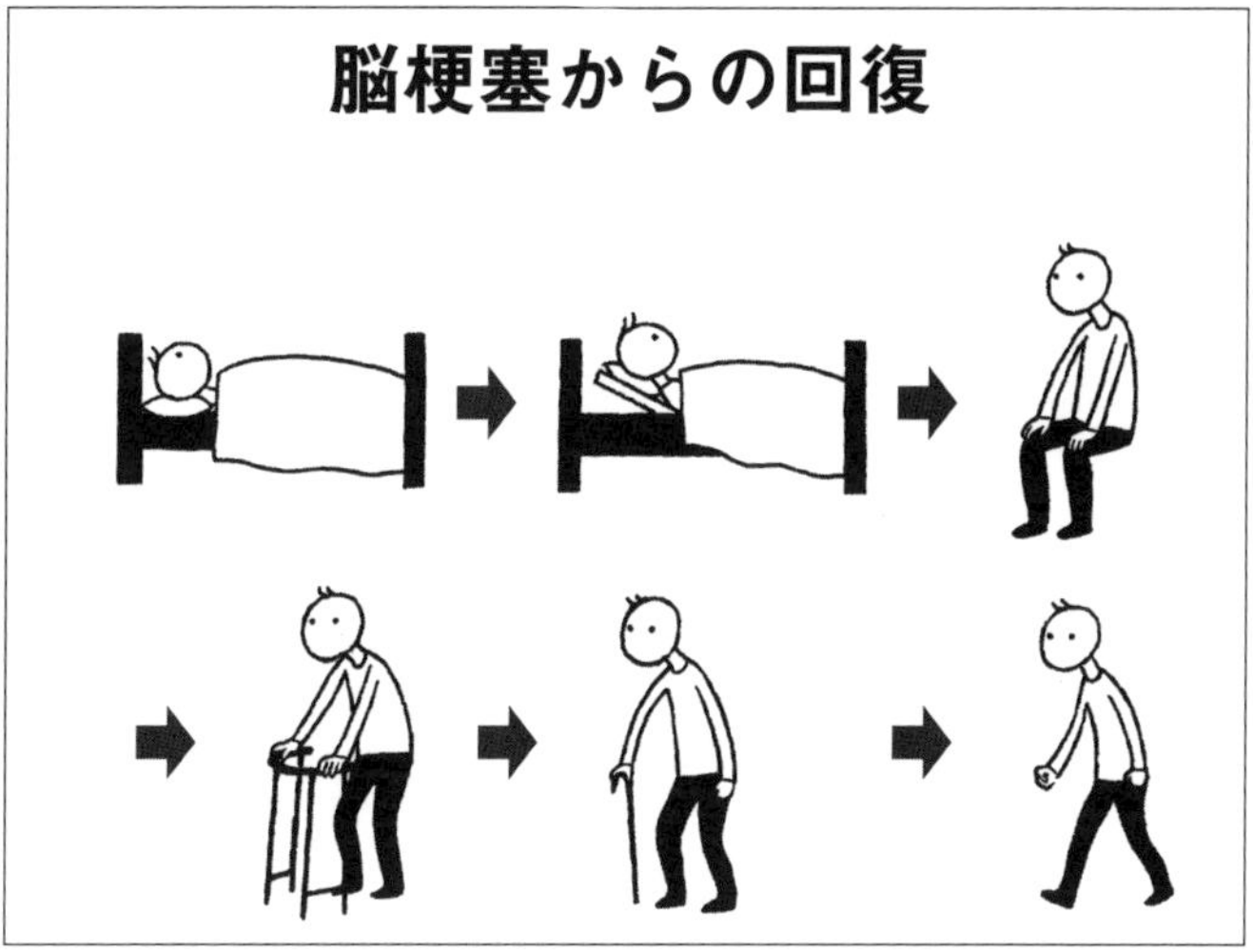
脳梗塞からの回復

脳動脈瘤を引き起こす遺伝子変異

脳の血管が破れてしまう病気を脳出血と言います。ただ、脳梗塞も脳出血もほとんどの原因は**動脈硬化**です。血圧が高いと血管が破れて、血圧が低いと詰まります。動脈硬化で脳の血管がボロボロになると、血圧が高すぎることによって破れやすくなり、脳出血の原因となります。ただ、それよりも圧倒的に多いのが詰まることです。脳梗塞になるリスクは脳出血に比べて3〜4倍です。

脳出血のなかでもいちばん死亡率が高いのが脳動脈瘤の破裂、くも膜下出血です。脳動脈瘤とは、脳の血管が膨らんでしまう特別な病気です。5ミリメートル以上になると治療が推奨されます。

脳動脈瘤ができる原因の10パーセントは家族性であることがわかっています。

ただ、残り90パーセントはほかのことが原因で脳動脈瘤ができるわけです。そこで私たちはこの原因究明のために、理化学研究所と共同で研究を開始しました。脳動脈瘤手術時、安全な場合には脳動脈瘤を摘出して、血液とともに脳動脈瘤そのものを分析したのです。脳動脈瘤を遺伝子解析して、原因となっていそうな物質をマウスの脳血管に入れるという研究を繰り返しました。

65例検討したところでＰＤＧＦＲβという物質が遺伝子変異を起こしていることを発見しました。この変異は脳血管の外側にいるペリサイトに起きていました。

遺伝子とは設計図です。ただエラー（変異）が起こってしまうと、その物質が異常興奮したり、機能しなくなったりします。ほとんどの変異は修復されて何も起こりません。しかし、大事な遺伝子に変異が起こると一塩基が変わるだけで大きな変化があります。

ＰＤＧＦＲβは本来眠っていて、血管に傷がついたときに修復を促す細胞の受容体でした。しかし、変異によって、脳の血管にある平滑筋の細胞を壊してしまい、虫食い状に浸潤していくのです。すると、その部分の血管壁が弱くなり、血圧に耐えられず膨らんで脳動脈瘤ができてしまうのでした。

ＰＤＧＦＲβの変異をもっている脳動脈瘤の患者は65人中６人で、いずれも手術が困難な動脈で脳動脈瘤ができていました。具体的には紡錘状動脈瘤と言って、血管の壁に沿うようにして脳動脈瘤ができる病気です。顔の前を通る頸動脈から脳の血流の7割が送られていると述べましたが、紡錘状動脈瘤は、このうちの5割を送るこめかみの血管に多くみられました。

紡錘状脳動脈瘤の破裂を防ぐためには、脳動脈瘤をせき止めて、ほかの血管からバイパスするしかありません。ただ、脳の血流の50パーセントを送る動脈です。どんなに腕のいい脳神経外科医でも紡錘状動脈瘤手術は難しい部分があります。

じつはＰＤＧＦＲβはすい臓がん、腎がん、胃がんでも原因遺伝子として見つかっていました。その治療薬はすでにつくられていたので、ＰＤＧＦＲβを入れたマウスに投与したところ、脳動脈瘤もできなくなりました。

私たちの研究によって、ＰＤＧＦＲβが原因で脳動脈瘤ができてしまった患者さんは、今後手術をしないでも破裂リスクを抑えられる可能性が明らかになりました。日本国内の脳動脈瘤患者は年間１万人です。このうち10パーセントでも、１０００人です。

ここまでを論文として発表しました。難治性脳動脈瘤の患者さんは手術が困難で、根治できずに何年ものあいだ破裂リスクと隣り合わせのまま過ごされている方がたくさんいらっしゃいます。今後の研究として、脳動脈瘤の発生を抑えるだけでなく、すでにできてしまった脳動脈瘤も投薬によって縮小させる取り組みも始めています。

脳梗塞の検査

認知症の検査としても大事ですが、脳機能が落ちると脳血流量が落ちます。脳血流がどのくらい維持されているかを見る検査がＳＰＥＣＴという検査です。

ごく少量の放射線の薬を静脈注射して、20分間、全身のどこから核医学性放射物質が放散されているかを記録します。取り込まれた場所の組織血流がわかります。

ＳＰＥＣＴはＩＭＰやＥＣＤという血流の中にとどまる核物質を使って血流量を見ます。ＰＥＴはブドウ糖などの取り込み率を見る検査で、脳の代謝がわかります。

脳梗塞を予防するために

核医学検査

- SPECT（Single Photon Emission Computed Tomography）
  - Acetazolamide (Diamox)負荷試験
  - 脳血管拡張予備能（Vascular reserve）
- PET（Positron Emission Tomography）
  - 脳血流量（CBF）
  - 脳酸素代謝量（$CMRO_2$）
  - 脳酸素摂取率（OEF）
  - 貧困潅流（misery perfusion）

脳梗塞の予防は、とにかく高血圧、糖尿病、脂質異常症をしっかり管理することです。これらのうちふたつをもっているとかなり注意が必要で、すべてもっていると半年以内に脳梗塞を起こしやすいというくらいに考えます。

高血圧予防

血管には弾性板という膜があると述べました。ゴムでできているかのように、血圧が上がって血流が多くなったら弾性板は広がって、血圧が下がって血流が減ったら弾性板が元に戻って血管を閉めます。

ところが、長いあいだ高血圧で血管壁に負荷がかかり、弾力性以上の圧が加わると、弾性板の表面に亀裂が入ります。「これは緊急事態だ！」と外側の平滑筋細胞が膜の中を泳いできて、弾性板を補強し始めます。これが動脈硬化と言われています。

その結果、血管はどんどん硬くなって弾力性を失っていきます。ただ、破れてしまうと困るので、血管の内膜を厚くして対応しようとします。そこで内膜がどんどん肥厚し、ますます弾力性は失われます。あるとき耐えきれずに破れてしまう。これが脳出血です。

ですから、脳の細かな血管、細動脈硬化症を予防することが脳出血予防でいちばん大事なことです。そのためには高血圧予防です。

血圧の正常値は診察室では収縮期血圧１２０㎜/Hg未満、拡張期血圧80㎜/Hg未満と言われています。これは既往がない方の基準値です。心臓病、冠動脈疾患、脳卒中、脳出血といった既往がある方の推奨血圧はそれぞれ異なります。

脳梗塞の再発を予防するために

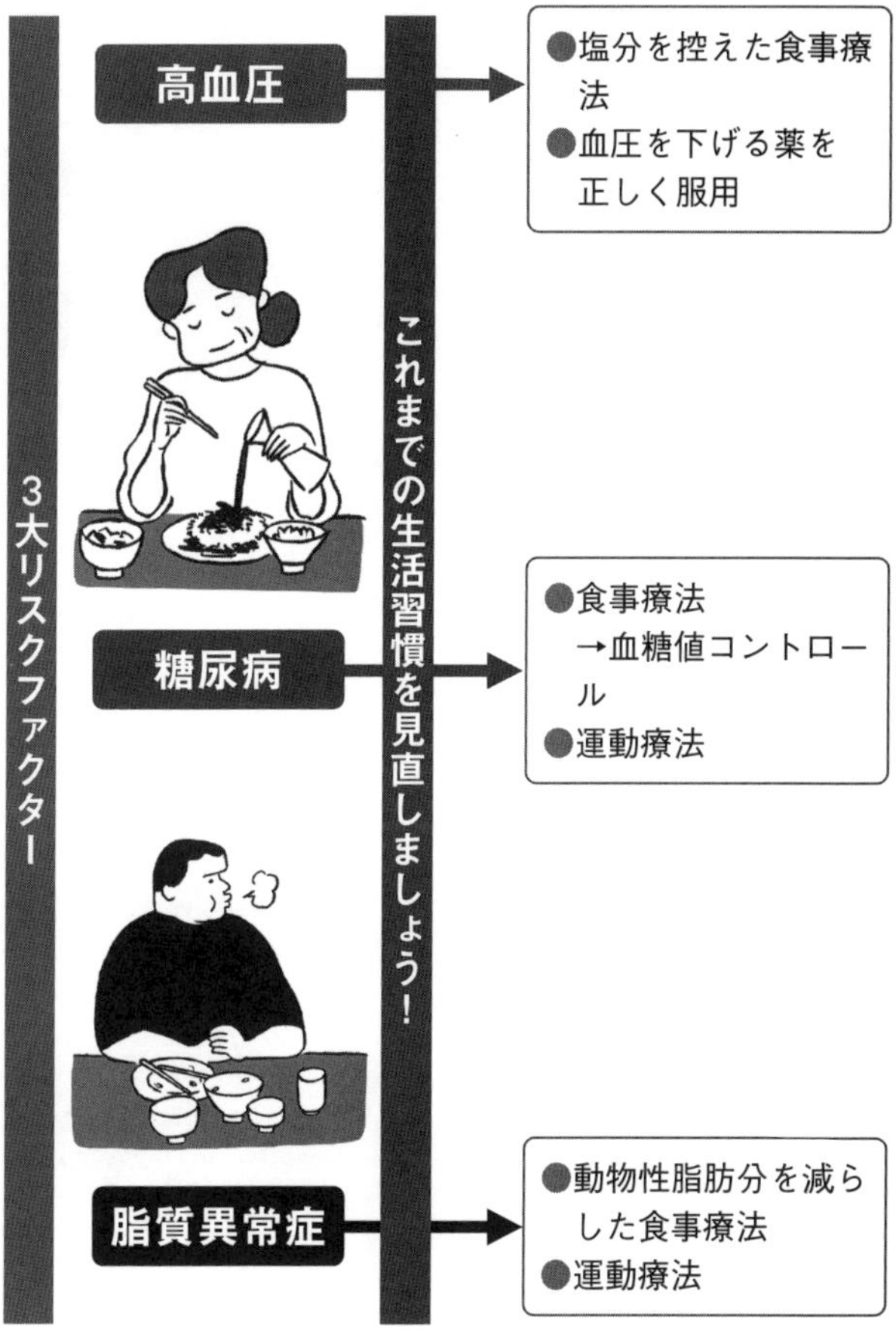
3大リスクファクター
これまでの生活習慣を見直しましょう！
高血圧
●塩分を控えた食事療法
●血圧を下げる薬を正しく服用
糖尿病
●食事療法
→血糖値コントロール
●運動療法
脂質異常症
●動物性脂肪分を減らした食事療法
●運動療法

血圧の正常値（診察室）

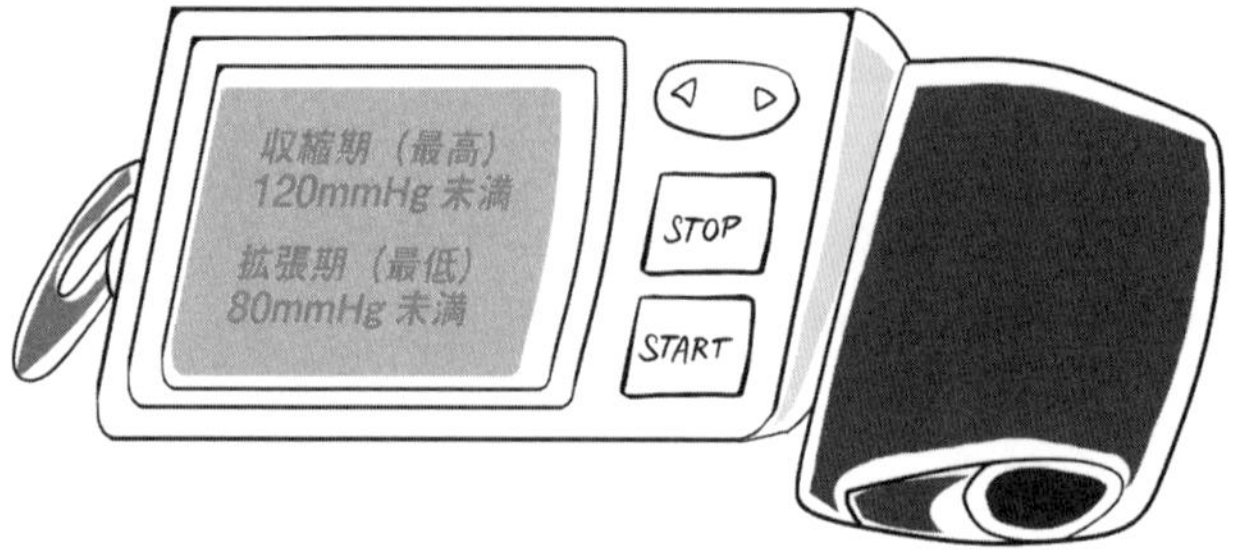

　高血圧かどうかを知るためには、朝晩決められた時間に毎日2回計測することが推奨されています。少なくとも1日1回か、1週間に2回は測っていただけると傾向がわかるので、とにかく記録を始めていただきたいです。

　どんな方でもずっと輸液をしていると血圧はどんどん上がります。逆にどんどん利尿をかけると血圧は下がります。つまり、血圧は摂取した体液依存性なので、体液の組成に近いナトリウム、塩分を多く摂りすぎると血管の中に溜め込む血液量が多くなるので、相対的に血圧が上がってしまいます。高血圧を予防するには、塩分を控えるというのが定石です。塩分を多く摂りすぎなければ体液の量が一定に保たれやすいのです。

とくにうどん、そば、ラーメンなどの麺類は汁に塩分が多いので飲むのは控えましょう。また、わが家では焼き魚には塩の代わりに山椒やレモン汁をかけています。刺身、寿司も醤油のかけすぎに注意してください。

汁がかかっている丼もの、塩分が濃く染み込んでいる佃煮や漬物は食べすぎないことです。みそ汁は塩分が高いので、自然塩でつくられているものを選びましょう。「食卓塩（食塩）」は99パーセント塩基性炭酸マグネシウムが添加されており、海水に含まれる微量ミネラルは失われています。塩分の摂りすぎが高血圧を引き起こすとは、この食塩（化学物質）の摂りすぎが原因となります。自然海塩や焼き塩などはミネラル分が含まれており、適量であれば心配いりません。

塩分摂取量の推奨は6g/日以下です。これはかなり厳しい数値だと思われる方もいるでしょう。

塩分をたくさん摂っても腎臓ではナトリウムとカリウムを交換して、尿量をコントロールしています。体液中のカリウムが多ければナトリウムとのバランスを取って、ナトリウムが排出されることになります。そこで、カリウム成分の多いバナナを1日1本食べましょう。わたしは2006年から18年間、バナナをベースにしたスムージーを毎日飲んでいます。血糖、血圧降下にいいしょうが、毛細血管を拡張させる作用のあるシナモン、米ぬか、チアシード、ヨウ素を含んでいて毛髪にいい根昆布、代謝をアップさせる一味唐辛子、年々近眼になってきたので目にいいビタミンEの豊富なブルーベリーとアーモンドミルクも入れています。脳に栄養を行き渡らせるために脳血流をよくすることが重要です。できるだけ取り入れたいものとして朝食はシナモン、しょうが（粉末）、アーモンドミルク、バナナ、夜はガーリックオイルを夕食に含めるとよいでしょう。

高血圧予防のスムージーの材料

1. バナナ：カリウム
2. シナモン粉末：毛細血管拡張
3. 冷凍ブルーベリー：ビタミンEが眼にいい
4. しょうがみじん切りの酢づけ：血糖、血圧降下
5. 米ぬか：ビタミンB1
6. 根昆布：ヨウ素、食物繊維（甲状腺、毛髪にいい）
7. 一味唐辛子：代謝アップ
8. チアシード：必須脂肪酸であるオメガ3、オメガ6
9. アーモンドミルク（コレステロール抜き）：ビタミンE

じつは米国から帰国したときは今よりも10キログラムほど太っていました。スムージーは減量のために飲み始めたのです。1日のうち空腹時間が16時間あると肥満になりにくいので、夜の食事を早めにして、朝はスムージーでお昼まで食べないでいることで、ラクに体重コントロールできました。

高血圧を罹患しやすくなるのが45歳から50歳ぐらいなので、50歳を過ぎたら脳ドックを受けることを推奨します。いまはＭＲＩの拡散強調画像という撮り方で脳梗塞を、Ｔ２スターという撮り方で微小出血を見つけることができます。

微小出血は大きな脳出血のリスクの前触れであるということもわかってきているので、隠れ脳梗塞と脳出血における微小出血、どちらも予防がすごく進んできています。何も所見がなければ、３～５年に１回で十分です。ただ、高血圧、糖尿病、脂質異常症のいずれかがある人は3年に一度、ふたつ以上ある人は2年に一度、50歳を過ぎたら予防のために検査をしてもらいたいです。

微小出血が見られると、本格的な脳出血を起こさないように血圧の管理がより厳重になります。あるいは隠れ脳梗塞が見られると、脳血栓薬まではいかないけれど脂質異常症の人のための血液をさらさらにする少し弱い薬を処方することがあります。

脳出血、脳梗塞の最大のリスクは過去の脳出血、脳梗塞の既往があることと言われていて、一度起こした方が何度も起こすというのがいちばん注意しているリスクです。薬を処方してもきちんと服用していない人、生活習慣を変えるのが難しい人が再発しています。

現代では早期から予防的に脳梗塞予防薬が処方されます（アスピリン、チクロピジン、シロタスゾール）。しかし、代わりに副作用で脳出血を起こす例も増えています。あまりにも早い予防薬の投与はかえってリスクになります。

糖尿病予防

糖尿病は、脳血管系の疾患のみならず、万病のもとのひとつです。わかりやすいのは、糖代謝が悪いと傷の治りがまず悪くなります。すなわち、日常起こるさまざまな新陳代謝のシチュエーションでの治りが悪いのです。

これは外傷だけではなく、ストレスや体内の小さな傷も含まれます。治らない臓器の筆頭が、網膜、血管、腎臓です。糖尿病性網膜症、糖尿病性血管壊死、糖尿病性腎

コレステロール・中性脂肪の正常値

総コレステロール	140-199mg／dL
LDL コレステロール	60-119mg／dL
HDL コレステロール	40mg／dL 以上
中性脂肪	30-149mg／dL

症が知られています。血流が多いところが、いちばん損傷を受けることがわかっています。

①早朝空腹血糖１２６mg/dL以上、②75グラム経口ブドウ糖負荷試験（ＯＧＴＴ）２時間値２００mg/dL以上、③随時血糖値２００mg/dL以上、④ＨｂＡ１ｃ６・５パーセント以上のうち、①〜③のいずれかと④が確認されれば、糖尿病と診断されます。①〜④のいずれかひとつだけの場合は「糖尿病型」と診断されます。血糖値は１日にどのくらい変動したかを見なければいけません。食べる回数、食べ方が

悪いと血糖の急激な変動が起こり、これが非常によくありません。

食べる順番が重要です。まずは野菜や繊維質から食べること。次は食事の時間をかけること。このために一口あたり20回は噛んでほしいです。食事中は必ず水分を摂ってください。これも血糖値の急激な上昇を防ぎます。

試しに食事を開始した時間と食べ終わった時間を記録してみてください。5分や10分で食べていた人が、30分かけると胃腸の落ち着く感覚が出てくると思います。

脂質異常症予防

脂質異常症は、血管の中の内膜が厚く硬くなって、動脈硬化をダイレクトに促進してしまう病態です。脂質異常症になると、血中にリポプロテインが増えます。リポプロテインを下げる作用をもっている細胞群が血管の内側にいて、リポプロテインを食べきれなくなったり、処理しきれなくなってくると、動脈硬化の異常なシグナルが始まります。ゴミがいっぱいありすぎるので、血管をみずみずしく保つ管理人たちの掃除が追いつかず、血管内が荒れていくというイメージです。

脂質異常症は、ＬＤＬコレステロールが１２０mg/dL以上の「高ＬＤＬコレステロール血症」、ＨＤＬコレステロールが40mg/dL未満の「低ＨＤＬコレステロール血症」、中性脂肪が１５０mg/dL以上の「高トリグリセライド血症（高中性脂肪血症）」のいずれかです。

動物性油脂、脂質は動脈硬化、脂質異常症を促進しやすいと言われていて動物性脂質が多く摂取されると脂質異常症になって、脂質異常症から動脈硬化を促進するという流れがあり得るので、できれば魚から脂質を摂るほうがいいです。

もちろん、野菜もしっかり食べましょう。野菜にはコエンザイムＱ10などの補酵素が入っていて、動脈硬化の促進を防ぎます。野菜十分の食生活を送っているほうが血圧は低いというような疫学調査の結果があります。

理想的な栄養バランスも、疫学調査から明らかになっています。

アルコールはれっきとした心血管疾患（虚血性脳卒中、脳内出血、心筋梗塞を含む）のリスクになっています。これまでアルコール摂取量が20〜25g（ビール中瓶1本、日本酒1合、ワイン2杯程度）／日であれば、心血管疾患はほとんど起こらないと言われてきました。しかし、中国の10地域を対象に、512724人のアルコール摂取量と12年間の死亡と死亡原因率・死亡率を計測した結果、現在の飲酒者ではアルコール関連がん、脳卒中、全死因による死亡リスクが高いことが示されました。飲酒しない場合と比較して適度な飲酒が正味で有益であるということもなかったと報告しています。

たばこは血液中の過酸化酸素やフリーラジカルが多く発生して、それぞれが血管内皮の障害を起こしやすくします。これもアルコール同様に減煙はあまり効果がなく、血圧が高い場合には禁煙してください。

内科的因子の相関を見ると、コレステロール値を下げる食事が脳梗塞予防では推奨されます。しかし、コレステロールは血管を組成するリン脂質をつくっています。コレステロール値が低くなりすぎると、血管壁が硬くなるリスクがあります。コレステロールが動脈硬化の予防で下げるというのが通説ですが、コレステロールを下げすぎると血管壁が薄くなって脳出血のリスクが高まると言われていて、コレステロールのバランスが大事です。

ポリバスキュラー・ディジーズという概念があります。肥満、高血圧、脂質異常症などが重なると、脳、心臓、全身の血管病になりやすいということがわかっています。メタボリックシンドロームにならないために運動習慣が重要です。詳しくは後述します。

脳腫瘍

原発性脳腫瘍

(1)悪性脳腫瘍
発生母地および周囲組織を破壊しながら発育(浸潤性発育)

- 神経膠腫
- 悪性リンパ腫
- 髄芽腫
- 胚細胞腫瘍

(2)良性脳腫瘍
周囲組織を圧排しながら発育(圧排性発育)

- 髄膜腫
- 下垂体腺腫
- 神経鞘腫
- 良性腫瘍

脳にもがんができます。原発性脳腫瘍は10万人に対して11～12人程度の割合で起こります。脳のがんはおよそ自分と無関係だと思いがちですが、東京都の人口を１４００万人とすると、年間１４００人以上はいることになります。さらに全人口の２人に１人はがんに罹患し、そのうち３人に１人が亡くなります。脳に最初からがんができるというよりは、身体中にがんができて脳に転移を起こすケースが多いです。

　脳腫瘍患者数は脳卒中患者数の14分の１程度ですが、血液の細胞が脳を原発で起こす悪性リンパ腫、小児に多い髄芽腫、

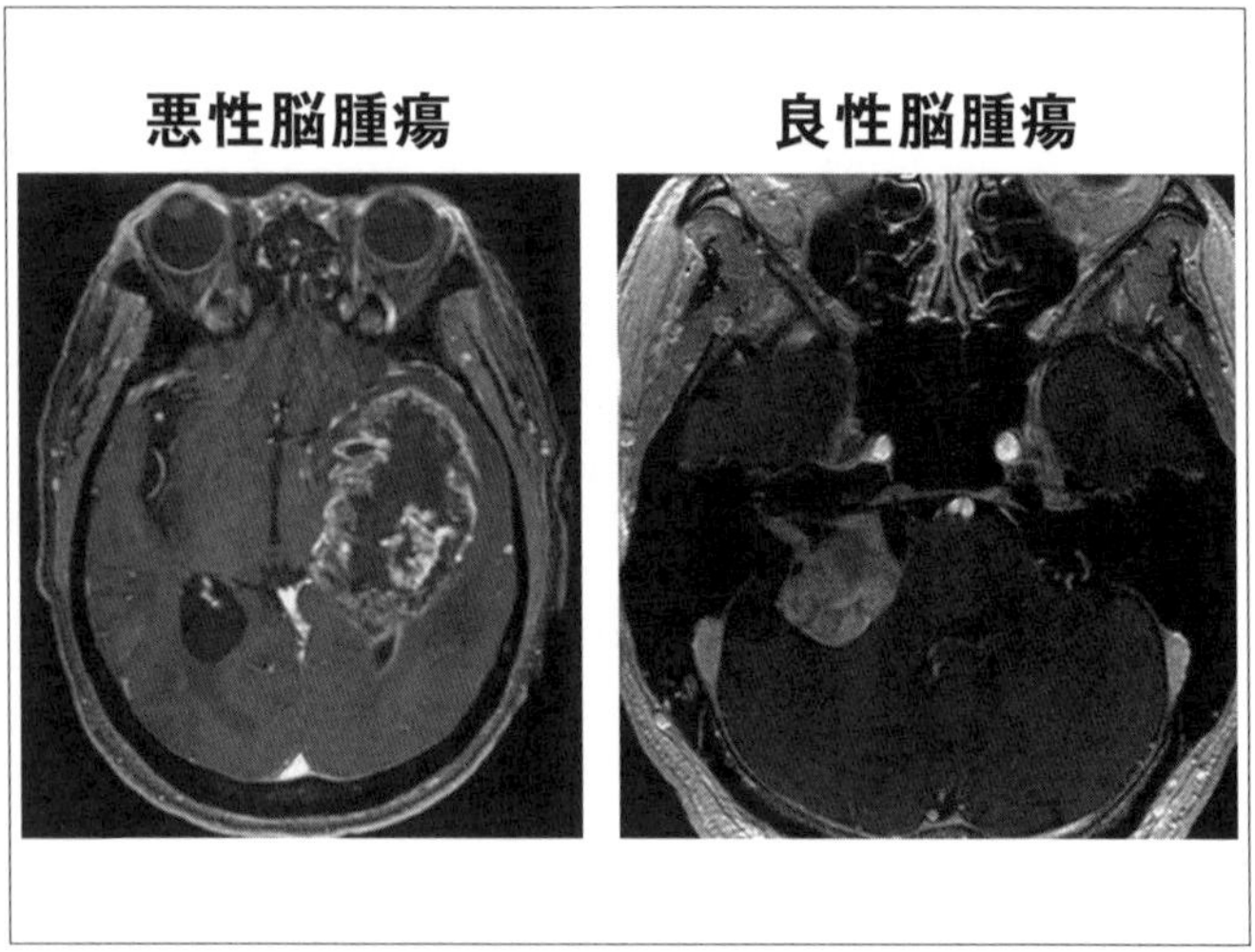

胚細胞腫瘍のほか、髄膜腫、下垂体腺腫、神経鞘腫といったゆっくりと進行する良性の脳腫瘍など、病理分類はおよそ140種類あります。

日本人の脳腫瘍は良性：悪性＝6：4で、良性にかかる人のほうが多いです。脳外科では神経膠腫と髄膜腫が圧倒的に多く、その次に下垂体腺腫、神経鞘腫と続きます。

どこかの組織が傷ついて、それを修復するプロセスで過形成した腫瘍だと良性である場合が多いです。3センチメートルを超えると症状を出す場合が多いです。

一方、悪性腫瘍はがん遺伝子が異常を起こして、無限に近く増え続けることで周りの正常な細胞に染み込んでいってしまいます。身体中のがんもそうであるように、ある部分にとどまっていれば手術で対応できますが、遠隔転移してしまうと、全部には対応できないということがあり得ます。

写真の左側は悪性腫瘍の例です。左の側頭葉から内側の視床まで至るような腫瘍です。脳の境界を広く越えて染み込んでいます。右側の写真は脳の外側にできた良性腫瘍です。灰色の脳を押しているだけで剥がれる可能性が高いです。

脳は頭蓋骨に囲まれているので、脳腫瘍ができると脳全体の圧が上がって頭蓋内圧亢進という症状が出ます。吐き気や頭痛、目が見えなくなったりもします。目の奥の視神経は脳の圧にすごく敏感で、脳の圧が高い状態が数週間続くと視神経の奥の視神経乳頭というところが変性してほんとうに目が見えにくくなります。

当然、腫瘍の体積が大きいほど症状は強くなります。腫瘍によって圧迫されると、脳もびっくりしてむくみを起こすのです。最後は脳を守っている髄液がきれいに循環しなくなって、水頭症を合併してしまいます。この悪循環がどんどん続いて脳の圧が高くなっていくと、最終的には脳ヘルニアという状態になって致死的になります。

脳腫瘍は、脳梗塞のときに示したものと同じような症状が起こります。たとえば運動野直上に腫瘍ができれば、脚や体幹の麻痺が出ます。左の前頭葉は言語野なので、そこに圧が加わると失語の症状が出ます。頭のてっぺんの中心溝の後ろには感覚のセンターがあるので、この場所が障害されると逆側の感覚がなくなる知覚障害が起こります。

目から入った情報は網膜に投射され、視神経、側頭葉の内側を通って、後頭葉にきて理解されます。後頭葉に腫瘍ができると、半分視野がなくなる半盲という症状が出ます。さらに側頭葉だと、言葉を理解するセンターがあるので、何を話しかけられて

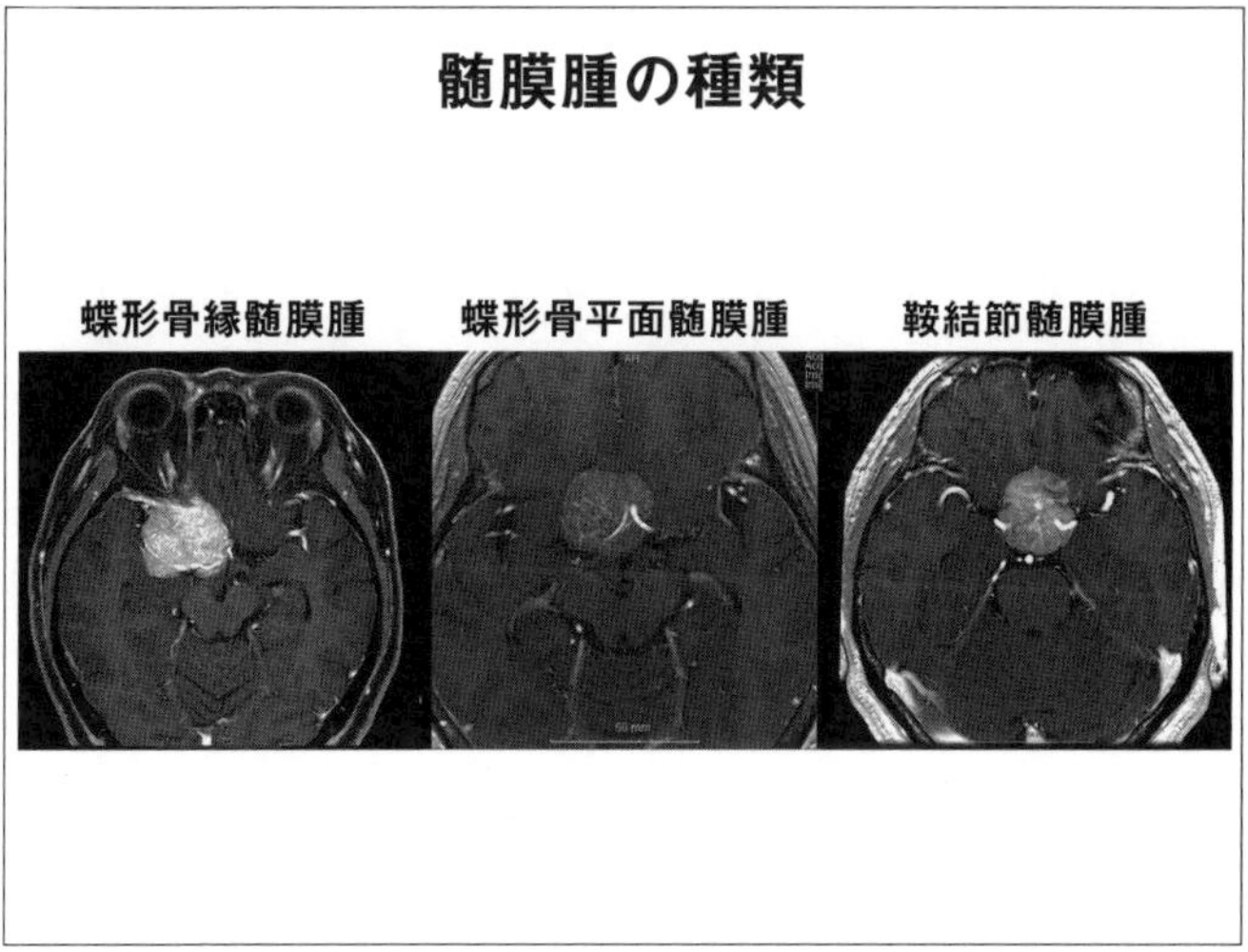

も理解できない、あるいは返事はあってもまったく話がかみ合わなくなってきます。また、側頭葉内部の海馬に腫瘍があると記憶力の障害が出ます。

脳腫瘍に対する治療としては、小さなもので症状がない場合は何もしません。3ヵ月ほどしたらMRIで経過観察をして、まったく変化がない場合は、半年後に再検査、そこでも変化がなければ次は1年後というように再検査までの期間を延ばしていきます。

経過観察中に腫瘍が大きくなるか、あるいは症状が悪化する場合は治療を考えます。治療には放射線治療と外科手術の2種類があります。放射線で焼くことで大きくなるのを防ぐか、手術で取り除いて根本的になくしてしまうかのどちらかです。さらに悪性では化学療法を併用します。

脳腫瘍の約26パーセントを占める髄膜種は50代、60代の女性に多く見られ、男性と比較したときの罹患率は2・8倍です。

髄膜は、脳を守っている透明なくも膜とその外の白い硬膜の両方に女性ホルモンのエストロゲンのレセプターが発現しているため、女性に多いと言われています。とくに閉経後はエストロゲンが出てこないため、少しの刺激であっても腫瘍が過形成してしまうのではないかと言われています。

腫瘍は脳表面の円蓋部というところでいちばん起きやすく、大脳鎌（脳の間）、傍矢状洞部（頭頂部から脇）、蝶形骨縁（脳の底）と深くに行けば行くほど発生率は低くなりますが、治療は困難になります。頭蓋底にはたくさんの神経が通っていて、その神経や血管が腫瘍に巻き込まれる可能性があるからです。左の写真では白いさらにくっきりとした白い筋があります。これは右側の脳に血流を送っている中大脳動脈です。腫瘍の中に埋もれているため、腫瘍の治療をしている際中にこの動脈を損傷するリスクがあり、手術後に脳卒中の副作用が出るリスクがあります。

良性腫瘍なので、小さなうちに治療する、放射線治療と組み合わせる、顔の動きなどを厳重に監視しながら手術で切除するといった治療法があります。ここ10年の医工学レベルの進化によって血管、神経の走行がかなり精緻にシミュレーションできるようになり、手術で神経を守る成功率も高まっています。

腫瘍によってどの神経が圧迫を受けているのか、腫瘍に入り込む栄養血管がどこから入るのか予測できるので、手術中も安心して腫瘍の場所を探ることができます。腫瘍は栄養血管を絶つとすぐに真っ青になってしまうため、術前にシミュレーションをして、狙って腫瘍の血流を止めてから切除するのです。

また、髄膜腫は取り残しがあると再発しやすいので、良性腫瘍であっても外科手術による摘出後に放射線治療を加える可能性があります。

原発性脳腫瘍の生存率
（2005-2008年に治療をした患者）

組織名		5年生存率（%）
毛様細胞性星細胞腫		94.8
髄膜腫	グレード1	97.2
	グレード2	90.4
	グレード3	56.8
中枢神経系悪性リンパ腫		48.2
びまん性星細胞腫		76.9
退形成性星細胞腫		43.2
膠芽腫		16.0

出典：https://ganjoho.jp/public/cancer/brain_adult/patients.html より著者作成

脳の悪性腫瘍である神経膠腫にも星細胞腫、退形成星細胞腫、転移性脳腫瘍、膠芽腫など多彩な種類があります。少しでも残っているとまた増えてくる可能性が高く、周りに染み込む浸潤能があるのが特徴です。半分はがんに準じた治療が必要です。

膠芽腫の5年生存率は低く、安心して生きられるのは1年弱と、ほかのがんと比較してももっとも悪い部類です。まだまだ悪性腫瘍の膠芽腫は解決されていない課題です。悪性脳腫瘍は、脳の中に染

地域がん登録における 5 年相対生存率
(2009 ～ 2011 年診断例)

原発部位	5 年相対生存率 (%)
全がん	64.1
膀胱	73.1
結腸	71.2
胃	66.6
直腸	71.8
肝および肝内胆管	35.8
肺	34.9
食道	41.5
胆のう・胆管	24.5
膵臓	8.5

出典：がんの統計（2023）より著者作成

み込んでいくので全部取り切れないことがあります。たとえば歩ける人の運動野や話せる人の言語野をすべて取ることはできません。切除部が大きいほど後遺障害も出やすくなります。全摘出が難しいので再発しやすい、治療抵抗性が高いということになります。

がんと闘うには化学療法も放射線治療も併用します。ただ、それぞれ副作用があるので、できれば化学療法を先行させて、放射線治療を遅らせるという考えにいまはなっています。

全身のがんの生存率が高くなってきているので、その分、脳に転移してくるケースも増えています。統計的にはがんの30パーセントは転移性脳腫瘍を合併すると言われています。肺がん、乳がん、大腸がん、胃がんが多いです。放射線治療・手術・抗がん剤を組み合わせて治療します。

脳腫瘍の予防

髄膜腫や下垂体腺腫はホルモンの乱れから発端して、内分泌的な異常をもとに発生しうるので、ホルモンのバランスを保つ。すなわち、ホルモンバランスを司る**自律神経のバランスを整える**のがよいと思っています。また、ストレス気質の人はがんに罹患しやすいと言われていて、ストレス対処の仕方を学ぶことも大切です。

わたしは**バイノーラルテクノロジー**といって左右の耳から周波数の違うホロシンクという特殊な音源を聞いてストレス解消しています。

周波数のずれに脳が同調してストレス緩和に役立つと言われていて、水辺や川岸の音が流れるだけなのですが、手術で高ぶった神経をリセットするために、通勤時にもう18年聞いています。

また、脳からアルファ波が出ると鳥の声が流れる、スマホとリンクしたウエアラブル脳波計を使って、アルファ波をいっぱい出すように気持ちを落ち着かせながら聞く**ニューロフィードバック**も活用しています。

そのほか、たくさんのレントゲン写真を撮るのを控える、放射線性の高い施設に近寄らないといったことも被ばくを控える対策になります。がんは早期に見つかれば治癒しやすいので、定期的にがん検診を受けることも大切です。

がんのリスクとしていちばん多いのは喫煙と偏った食事で、それぞれ30パーセントとなっています。続いて運動不足が5パーセント、アルコールが3パーセントです。

たばこを吸う人は禁煙、お酒を飲む人は減酒ではなく禁酒こそ効果があります。

第3部

脳を育む

脳神経回路の活性化

認知的予備力をつける

術前まで元気のなかった患者さんの前頭葉の病変を切除したら、別人のように回復した。脳神経外科医をしていると、脳とその方の生き方は直接関係していると毎日のように感じます。そこで、**生き方が変わることで脳も変わる**のではないかという逆説的な発想が生まれました。

脳機能を維持する戦略は、これまで述べてきたような血管の健康維持です。ことに中高年の人たちには大切です。まずは、高血圧、糖尿病、脂質異常症など血管障害の危険因子をコントロールしましょう。

加えて**認知的予備力**（cognitive reserve）をつけることです。そのためには脳の可塑性を促進させて頑強な脳構造をつくることです。

可塑性が盛んな若いときに、知的刺激が最大であるような環境に身を置かねばなりません。具体的には、つねに新しいことに挑戦する環境です。もちろん、ストレスが強すぎてはいけません。

脳は形で分けられています。横から見た脳の中心部分を通る大きな溝を中心溝と言います。中心溝の前が運動野、後ろが感覚野です。とくに後頭葉は視覚に特化しています。中心溝付近が頭頂葉です。

脇にいくと、側頭葉があり、上側が聴覚を司り、中には海馬があり、記憶が守られています。脳は表面ほど論理的な高次機能、深いところにいくほど、大脳辺縁系と言って、海馬を含めて記憶、本能、情動、怒りといった情動機能になります。最後に、脳のいちばん中心の脳幹は植物機能と言われていて呼吸、循環、意識のスイッチになっています。

これを加藤俊徳先生は、脳番地という考え方で分けられています。使わない脳のエ

8つの脳番地の位置と働き

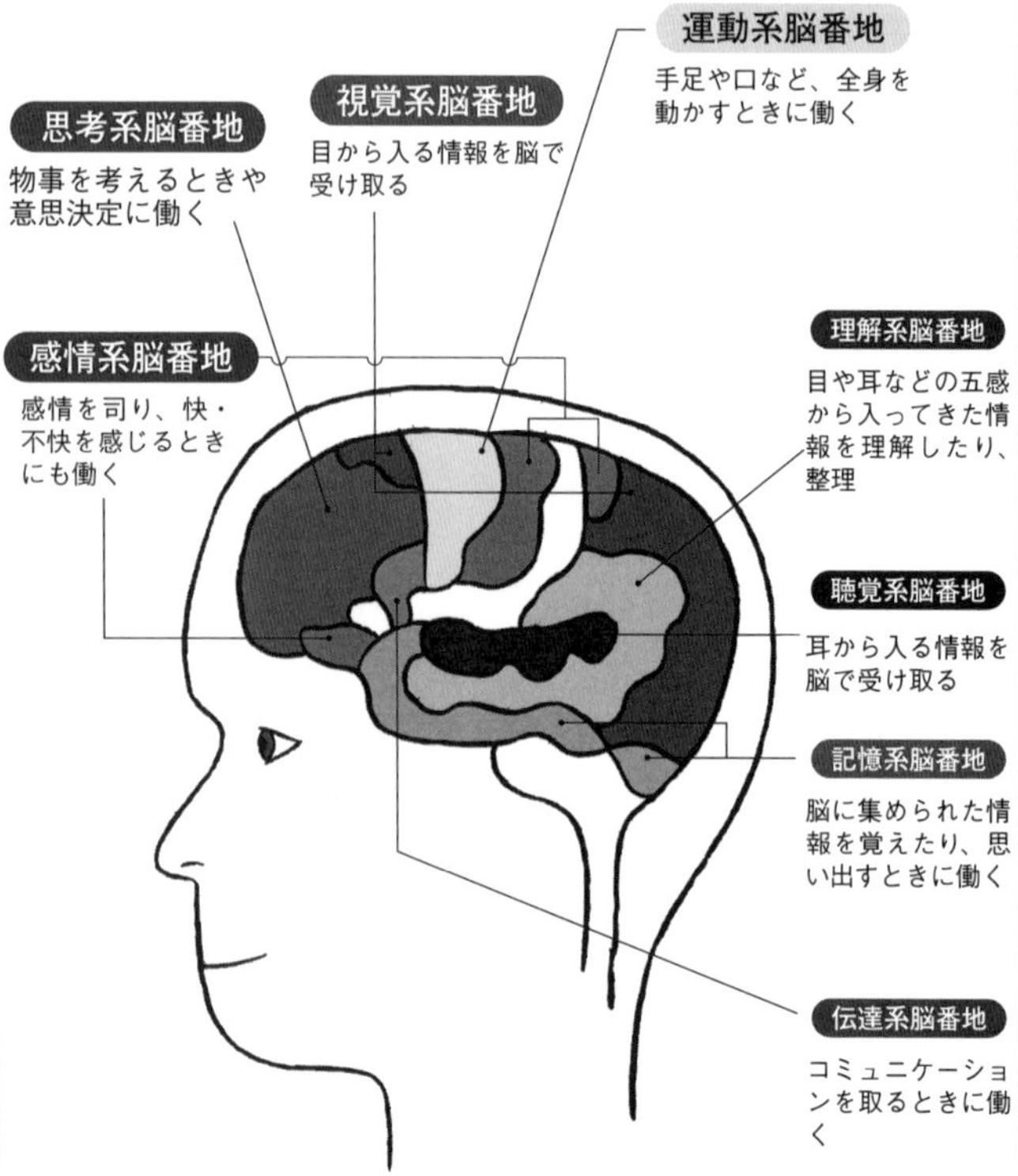

運動系脳番地
手足や口など、全身を動かすときに働く
視覚系脳番地
目から入る情報を脳で受け取る
思考系脳番地
物事を考えるときや意思決定に働く
感情系脳番地
感情を司り、快・不快を感じるときにも働く
理解系脳番地
目や耳などの五感から入ってきた情報を理解したり、整理
聴覚系脳番地
耳から入る情報を脳で受け取る
記憶系脳番地
脳に集められた情報を覚えたり、思い出すときに働く
伝達系脳番地
コミュニケーションを取るときに働く

※「脳番地」は脳の学校の登録商標です
（商標登録第 5056139 ／第 5264859）
※上記イラストは『中高年が朝までぐっすり眠れる方法』（加藤俊徳著、アチーブメント出版）に掲載されたイラストを再構成したものです

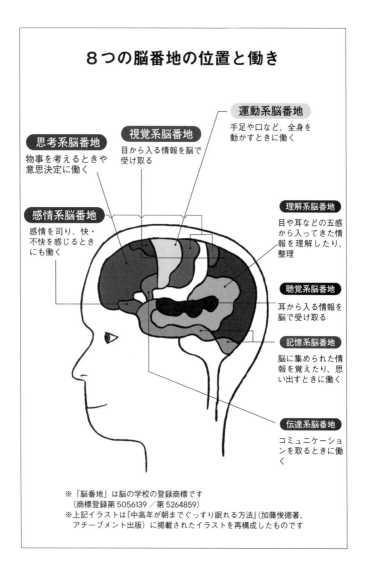

リアは衰え、使い続けている場所は70代、80代になっても成長するとfNIRSの結果をもとに解析されています。脳番地では脳は8個の機能系に分けられます。これら8個を機能させる活動を日常生活に取り入れれば、脳を満遍なく使った生き方が送れます。すなわち、脳機能を守り、認知症予防の効果があると考えられ、わたしも日々意識しています。

自分の意見をまとめて発表したり、新規企画する思考系。会議で場の雰囲気を読んで、その司会や調整役を買って出たり、喜怒哀楽を表に出したり抑えたりすることを意識しておこなう感情系。人前でプレゼンテーションする、説明する、文章化して記録するといった伝達系。新しい物事を勉強して知ろうとする理解系。新しいもの、事をおぼえようとするのは記憶系です。

聴覚野はオンラインで講義を聴講したり、電話で話したり、楽曲を聞くアクティビティで活性化します。側頭葉の上面に位置します。また、物をよく見て、観察して、非言語的なものを感じる、絵画を鑑賞するなどの活動は視覚系を使います。

運動系は脳のてっぺんで、とくに小脳を巻き込みます。運動すると、運動野、感覚野、小脳機能を使い、広いエリアの血流を増やすことができます。

脳を育むとは、あきらめずに色々な脳の領域をいくつになっても使うことです。脳のパフォーマンスを守るためには、新しいことをやってみることを心がけています。好きなこと、慣れていることはできてしまいます。たとえば、日本語ではなく英語を使う。同じことをするにもハードルを上げるなど、嫌いなこと、ためらわれることをいかに続けるかです。

新しいことに3つ並行して取り組んでいると脳の老化を防げると言います。語学の勉強をしながら、手指を使うちぎり絵や折り紙を趣味として、家族と昔話を話す（回想法）といったことです。脳がハラハラドキドキするような経験を重ねることが大事です。

また、同時に2つのことをすると脳内のかなり広いエリアが活性化します。運動しながら誰かとクイズをするというのは、認知症のリハビリテーションでおこなわれているれっきとしたプログラムです。階段昇降しながら隣の人としりとりをするというのが最初に発明されたリハビリテーションで、認知症のリハビリテーションに運動は欠かせません。

最近はジムに通われている方も増えています。ルームランナーでテレビ番組を視聴しながらウォーキングやランニングをされている方は、ぜひアナウンサーの言葉をよく聞き取りながら歩いたり、走ったりしてください。あるいは番組の内容や出演者の話を帰宅後、家族に話すのもいいでしょう。能動的に頭を使うことが大事なので、自宅ならその場で足踏みをするステップマシンに乗りながら本を読んだり、耳をすませてラジオを聴くのでもかまいません。もっと手軽にできる方法として単純にお手玉をするのでもよいでしょう。両手を使いながら、お手玉を投げたり、つかんだりと、同時に2つのことをおこなうとよいです。

わたしは少し特殊な例ですが、不慣れなことにチャレンジするという意味で手術の練習を利用しています。

デスクの脇には、顕微鏡の下に、手をギリギリ入れることができないくらいの穴を開けた自作の箱が置いてあります。10センチメートル下にある人工血管を顕微鏡と器具だけで吻合《ふんごう》しなければなりません。2ミリメートルの血管同士でも、目の前に置かれれば縫い合わせることはそこまで難しくはありません。どうすればもっと手術の技量を高めることができるかを考えた末に、自分で練習台をつくりました。手が入りづらい状況で10センチメートル先の人工血管を縫い合わせるというのは昔は非常に難しかったです。ところが、もやもやしたストレスに耐え続けながら練習していると、いつのまにか脳が切り替わって縫えるようになりました。

現在も週に1~2回は練習して、都度何分で縫えたか記録を取って、その日の調子を測っています。これがわたしが生涯でいちばん長く続けている訓練です。わずか20

分程度ですが、これ以上のストレスを感じる手術シーンはあまりありません。本番より難しい練習を普段からしていると、手術現場でもあまりストレスを感じなくなります。

難易度がどんどん上がっていけば、相応の刺激が脳にいっていると考えられます。血管も同じ場所に置かないように45度ずつずらしています。最適な手の動かし方を見つけるまで苦労しますが、慣れるとすぐに角度に応じてやり方を変えられるようになります。最近はラクにできるようになってきたので、10センチメートル先からもっと遠くにしなければいけないと考えています。

このように、脳トレかつ仕事のパフォーマンスをダイレクトに高めるような活動が見つかるといちばんいいです。

前述したように、手術については過去15年の失敗の記録を1行でまとめてノートに

脳番地を満遍なく使う

脳はいくつになっても鍛えれば成長する。使い続けている脳番地は衰えない。

1. 運動する
2. 日常的に新しい３つのことに並行してチャレンジする
3. 同時に２つのことをおこなう

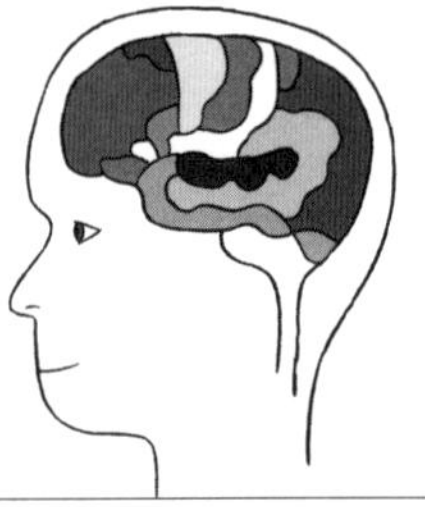

記しています。その記録を斜め読みしてから次の手術に向かう。テレビ番組の内容を記憶して家族に話すことが認知症予防になると述べましたが、これも記憶系を刺激することになります。記憶の貯蔵庫に、関連する手がかり帳のようなものをつくるのも有効です。

また、こうした複雑なこと以外に「大きな声で挨拶する」「感謝をはっきり言う」など、年を重ねるごとに意識して喜怒哀楽を出すようにしています。それだけでも感情系を刺激するのです。

使っていない脳の経路は萎縮が始まります。これまで述べてきた認知的予備力、脳機能活性化のための方法をまとめて記します。

脳トレになる運動

アルツハイマー型認知症のリハビリテーションに運動が外せないことを述べました。運動は小脳を巻き込んで、脳の多数のエリアを活性化させます。

ハーバード大学の精神科医ジョン・J・レイティ氏は、20分間運動させてから試験を受けさせたグループと、まったく何も運動させなかったグループの2群に分けて実験をおこないました。5～10分の準備体操、ジャンプやジグザグ走などのランニングアクティビティ、頭を使うグループゲーム、体操でのクールダウン。これらをおこなったのちに試験を受けると、何もしなかった学生よりも運動した学生のほうが脳血流が上がっていました。

レイティ氏推奨！

スキマ時間に脳を鍛える簡単スクワット

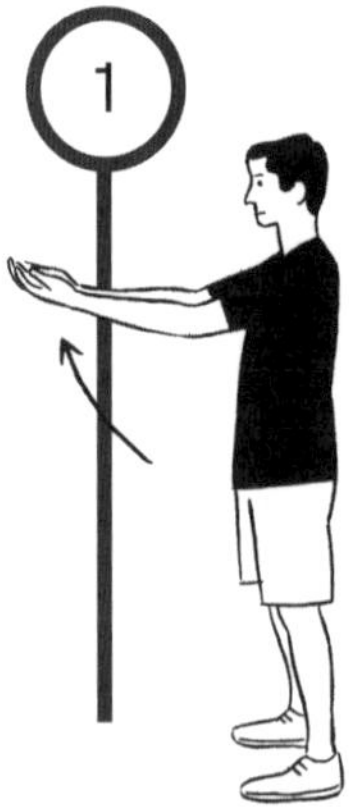

両腕を前に上げ、手のひらを上に向ける。

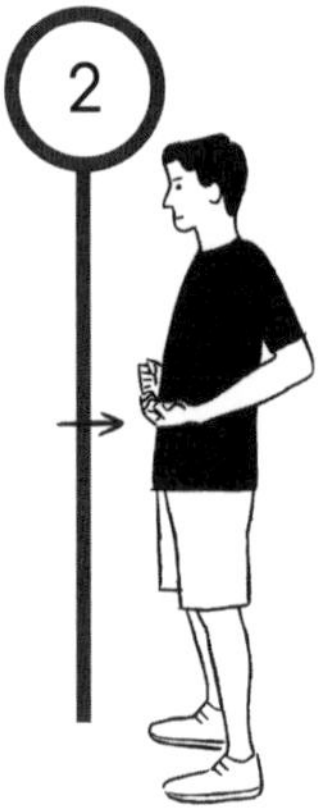

空手の構えのように、握りこぶしをつくりながら素早く肘を後ろへ。脇は締める。

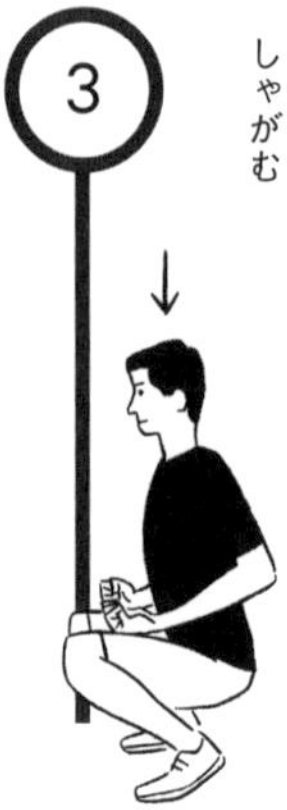

そのままの体勢でしゃがむ

肘を伸ばし、手の甲の側から指先で床を後ろになでる。

スッとまっすぐ立つ。1に戻って繰り返し。

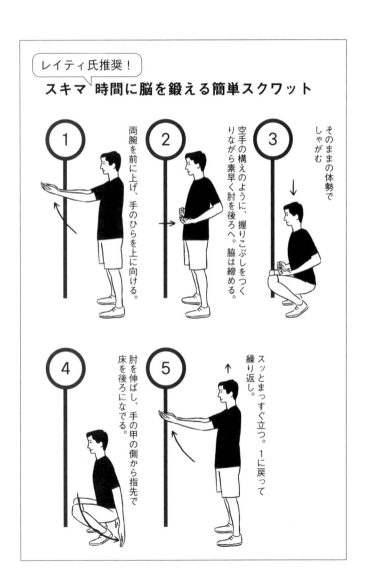

重要な筋肉の7割は下半身に集まっているため、ランニングアクティビティによって血流が促され循環血液量が上がり、脳の血流も増えたことが考えられます。
また、大脳の運動野のなかでも、脚、体幹は大きな領域を占めています。これらの部位を使うと運動野の脳血流が増えて、その周辺領域も活性化したと考えられます。

レイティ氏は運動の強度が大きいほど効果があるとしながらも、ウォーキングのような軽い運動でも脳血流を増やすことができると言います。そこで、簡単なスクワットを推奨しています。勉強前だけでなく、スキマ時間に簡単に脳を鍛えることができます。

黒柳徹子さんは、毎日寝る前に50回スクワットをしているそうです。草笛光子さんは80歳を超えても朝起きてから15分間ストレッチをして、梅茶を飲むのが日課だそうです。運動が苦手な人はストレッチから始めてみてください。

●三角形のポーズ

① 両手を肩幅より大きく広げ、背中をまっすぐにして立つ。

② 両手を広げて肩の位置まで持ち上げる。

③

息を吐きながら右手を下ろし、右足の前に置く（膝が曲がってしまう人は、右足の膝、またはふくらはぎのあたりに手を置く）。

左手を天に向かってまっすぐにあげ、指を伸ばし、10 ～ 15 秒くらいそのまま保ち、「手のひらが温かい」とイメージする。

このとき、身体の内側をよく観察し、伸びていないところに意識を向け、気持ちよく伸びていることをしっかり感じながらポーズをとる。

●膝裏伸ばしのポーズ

①
床に座り、左足を左方向90度におき、右足は会陰（えいん）にかかとをつける。

②
左足のつま先を両手で持ち、背中を伸ばして息を吸う。（つま先を持つことが難しい人は脛《すね》を持つ）

③
息を吐きながら、左足のほうへ前屈します。このとき、膝の裏が痛気持ちいいと感じるところまで伸ばす。
②③を2回繰り返す。

●朝のヨガ

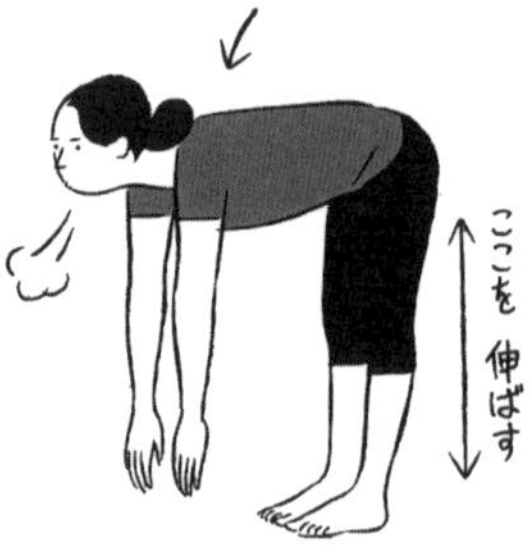

①

息をふーっと吐きながら軽く前屈し、膝（ヒザ）の裏を伸ばす。

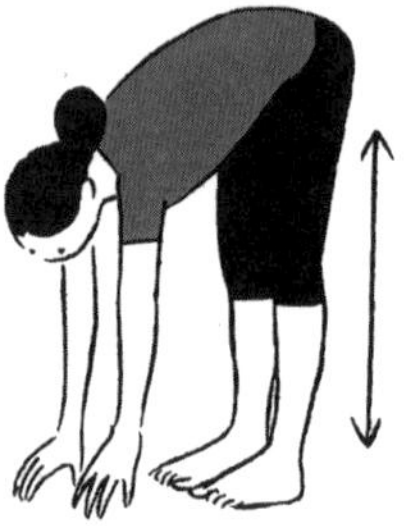

②

少し痛いけれど気持ちいいと感じるところまで伸ばしたら、10 ～ 15 秒ほど自然呼吸をしながら、その体勢をキープ。

③

足を肩幅くらいに開いて立ち、腰に手をあて、膝を軽く曲げながら、首の力を抜いてゆっくりと後ろに反る。そのまま 7、8 秒自然呼吸をしながらキープ。
①～③を 3 回繰り返す。
体勢を戻すときは、ゆっくりとおこなう。

利き手とは反対の手を使う

右利きの人は、左脳ばかりを使ってしまい、右脳をほとんど使わない生活を送ってしまいます。その結果、左右の脳のバランスが崩れます。両利きに矯正できれば、左右の脳を満遍なく使うことができます。また、とくに左利きの方の言語中枢は、右脳にも局在しうることが知られており、言語機能を両脳に獲得できる可能性があります。

利き手とは反対の手でお箸を使えるようにしたり、字を書いたりすれば、形状認知、空間認知、視覚もともに鍛えられます。複雑な動きが難しい人は、利き手と反対の手でスプーンやフォークを使ったり、歯磨きをしてみてください。

左脳の脳卒中を患われた患者さんが、利き手を矯正し、字を書けるようになっている現実は大きな励ましになります。利き手と逆の手を使うと不便で、もやもやする感覚があります。それこそ脳のシナプスを置き換えているプロセスなのです。

利き手と逆で文字を書く

利き手とは反対の手で文字を書いてみましょう。ひらがな、カタカナ、ＡＢＣから始めてみてください。

ア		あ	
イ		い	
ウ		う	
エ		え	
オ		お	

ミラートレーニング

左右の手でそれぞれペンを持ち、左右対称な字を書いてみましょう。これはわたしも取り組んでいる方法です。外科医は左手のパフォーマンスを上げておく必要があるので、両利きのトレーニングとしておこなっています。

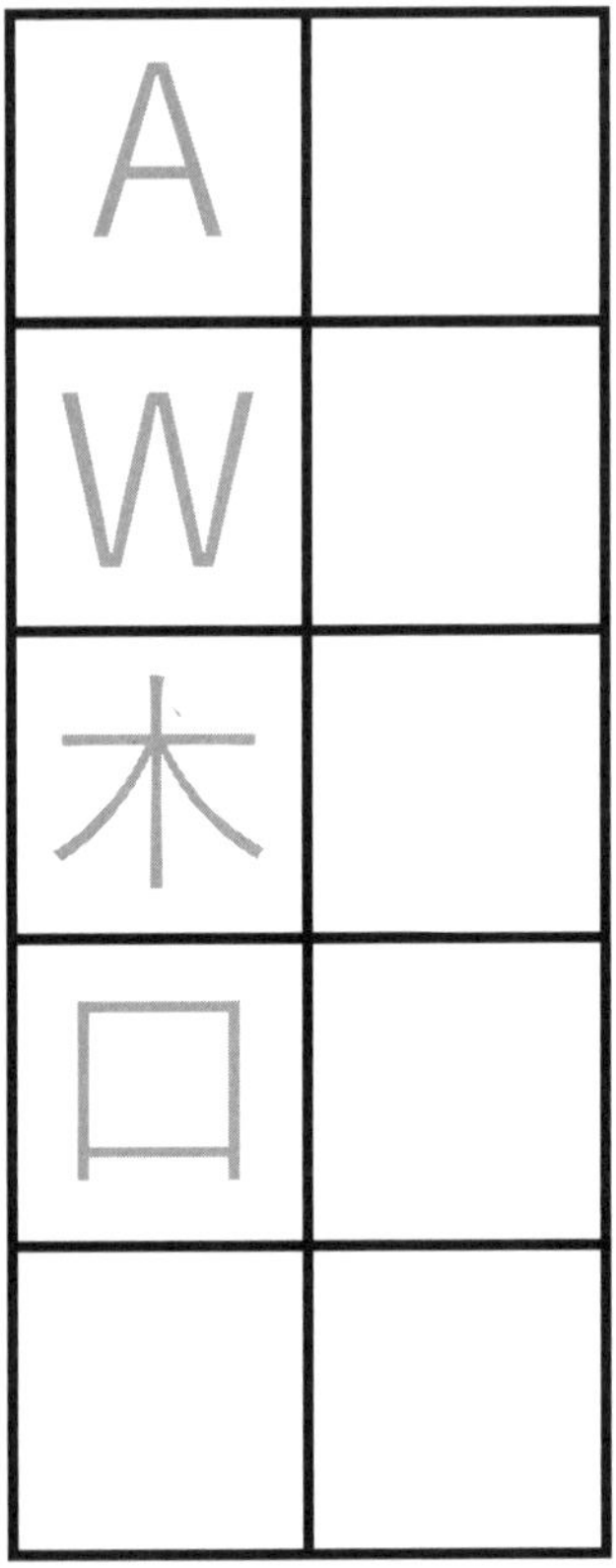

両手で違う文字を書く

左右の手でそれぞれペンを持ち、左右で別々の文字を書いてみましょう。両利き脳トレーニングで大脳が鍛えられます。

利き手とは反対の手でご自身の名前を書いてみましょう

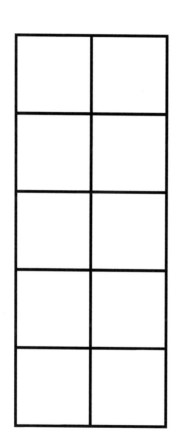

同時に2つのことをおこなう

音楽を聴きながら絵画鑑賞するなど、2つの脳機能をブレンドして使うことができれば、より多くの脳のエリアを使うことになります。ここでは運動以外の方法をご紹介します。

左右の耳から周波数の違う音楽を聴く

大脳聴覚野には、左右の耳から入った音の周波数の違いを認識し、その差に大脳の脳波が同調する傾向があります。つまり、左右の音の周波数差が8〜13Hzであれば大脳の脳波はアルファ波となります。米国Centerpointe Research Instituteから市販されているバイノーラル録音の音源を聴くことで、両利き脳トレーニングになります。

脳幹トレーニング

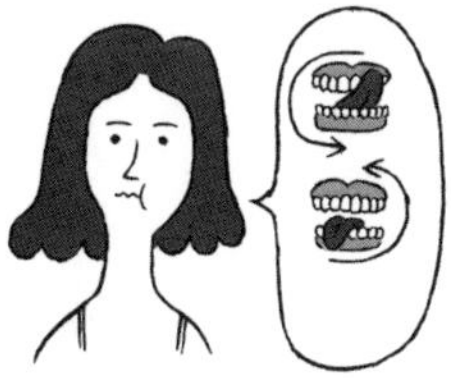

①あごに力を入れながら、舌で歯茎の周りをなぞる

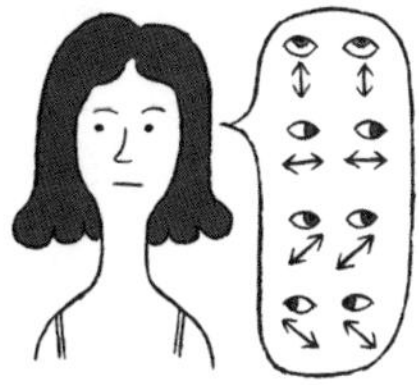

②顔に力を入れながら、眼球を上下、左右、斜めに動かす

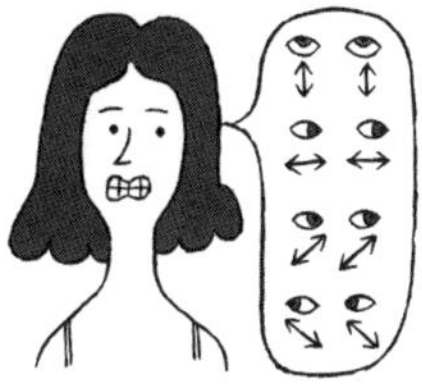

③あごをぐっと噛みながら、眼球を上下、左右、斜めに動かす

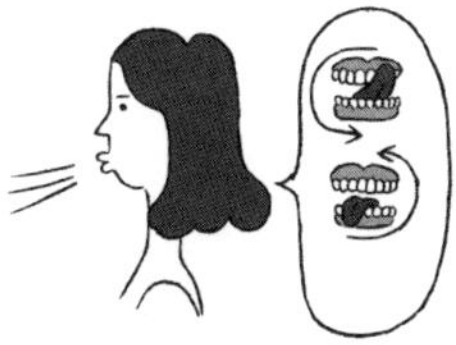

④強く呼吸をしながら、舌で歯茎の周りをなぞる
※過呼吸状態をつくり、血液中の二酸化炭素濃度を下げて、局所に集中した脳血流を下げる作用がある

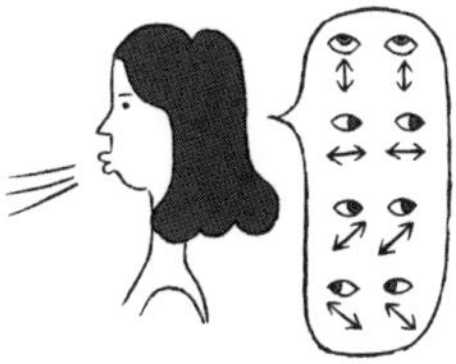

⑤スローブリーズ（深呼吸）をしながら、眼球を上下、左右、斜めに動かす
※ゆっくりとした深い呼吸をおこなって、血液中の二酸化炭素濃度を下げて、局所に集中した脳血流を下げる作用がある

左右の耳から違う言葉を聞いて理解する

大脳聴覚野には、左右の耳から違う言葉が入力されても、それぞれを聞き分ける能力が本来は備わっています。左右から違う言葉を聞いてそれを理解する訓練は、左右の大脳の多くの領域を活性化します。米国learning strategy社よりParaliminal ＣＤとして市販されています。

脳幹トレーニング

脳幹には、舌、頸、顔、あご、眼球運動を司る脳神経の随意筋があります。これらの中で複数を同時に動かすエクササイズは自ずと、鍛えづらい脳幹を鍛えることになります。脳幹のもうひとつの役割である、情報のフィルターシステムである脳幹網様体ＲＡＳ（Reticular Arctivating System）も間接的に鍛えられます。

脳疲労と脳波

ここまで脳の認知的予備力をつける方法をご紹介してきました。ただ、いざ動き出そうと思っても、私たちは生活するなかでさまざまなストレスにさらされていて、脳が疲労することによって行動の抑止が起こってしまうこともあります。

若々しい脳を維持するだけではなく、つねに最大限の脳パフォーマンスを発揮し続けるためにできることは、何かあるのでしょうか。

現在、ブレインテック（脳技術）という分野が盛んになっていて、一般の方でも数万円でかなり高性能の簡易脳波計を入手することができます。

自分の脳波を見える化すれば、脳疲労に対する対策が見えてきます。私たちの脳波は刻一刻と変化しています。脳波で精神状態を分けると、31〜64Hzの早い波がガンマ波、14〜30Hzがベータ波です。混乱や恐怖を感じているときにはガンマ波、不安やイライラを感じているときはベータ波が出ています。ある程度落ち着いてくるとアルファ波（8〜13Hz）が出て勉強などによい状態です。安心・リラックスしているとシータ波（4〜7Hz）が出ていると言われています。

好きな音楽やクラシック、ヒーリング、自然音で脳波が変化しうるのは間違いありません。落ち着いている、リラックス状態で示すのが皆さんご存知のアルファ波です。アルファ波が後頭葉の長くて太い神経ネットワークからつくられるように、イライラや嫌悪の感情を生み出す脳の場所は特定されています。たとえば怒りは扁桃体、妬みは大脳帯状回です。

すなわち、人は負の感情を味わっているとき、リンクする脳領域に血流が増えて活性化しているのです。

しかし、疲労を感じている、無気力状態、集中力が欠けているときの脳波はまだ検

脳波：失敗から成功へのスパイラル

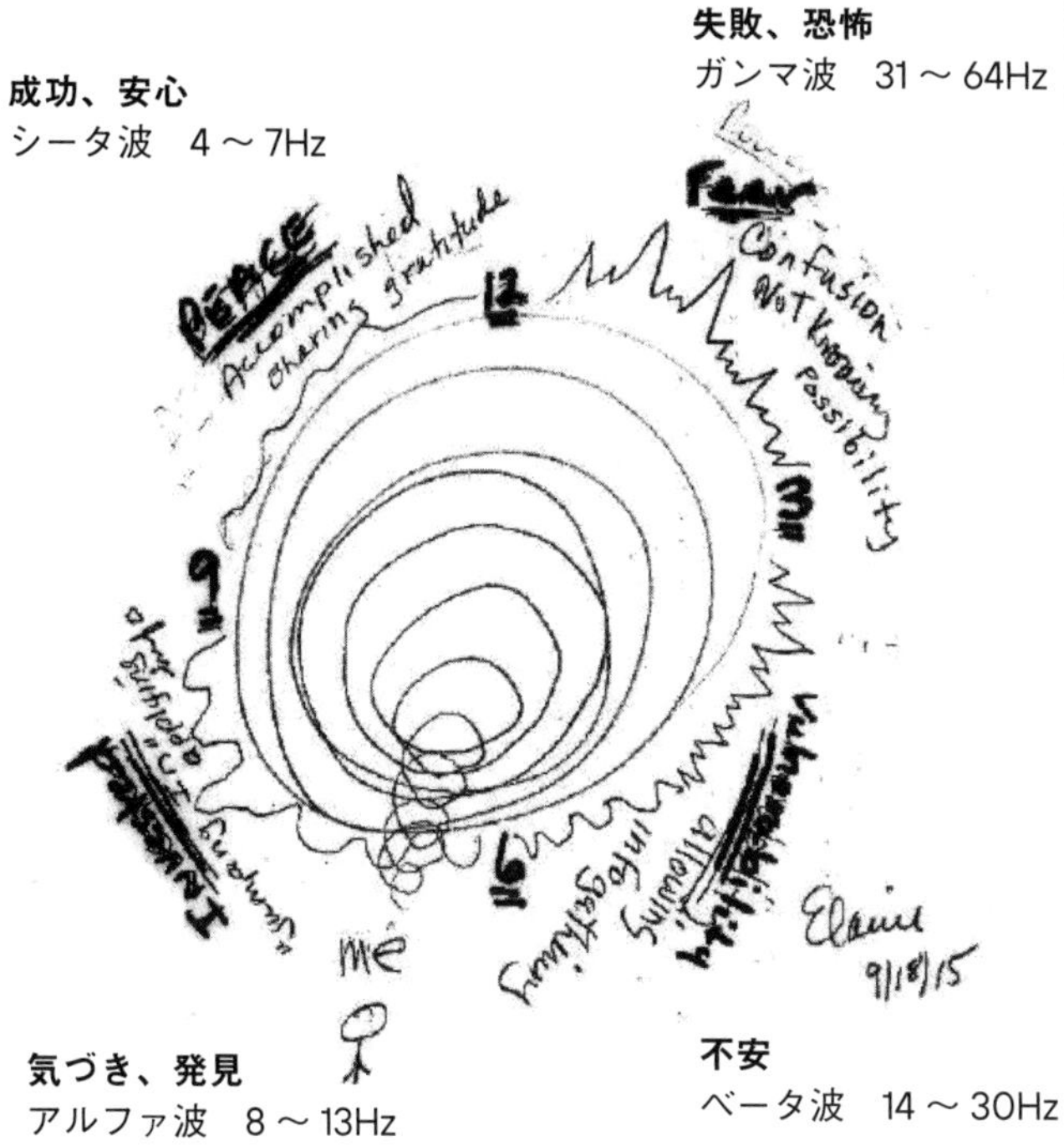

証されていないため、これからの研究領域で知見が出てくれば、またご紹介したいと思います。

それぞれ脳波の状態で持ち得る感情との相関を見たところ、脳波には連続性があって、混乱や恐怖に苛まれていた人が、突然落ち着いた穏やかな気持ちになることはありません。つまり、恐怖状態のガンマ波の脳波の人がいきなりアルファ波、シータ波までいくことはなく、恐怖を鎮めてある程度不安の状態（ベータ波）にならないと、気づきの段階（アルファ波）にはいきません。**脳波は必ず連続して変化します。**

ブレネー・ブラウン氏がＴＥＤトーク「傷つく心の力」のなかで、私たちはヴァルナラビリティ（vulnerability）、つまり悲しみ、恥、恐れ、失望などといった心のもろさこそが喜び、創造、帰属、愛情といったものの根源でもあると述べています。脳波の面でも紐づけられて考えられるのです。

恐怖感でガンマ波が出ている人は、恐怖を感じる脳領域が活性化しています。少し落ち着いて不安状態にまでなると、脳波はベータ波を計測します。

脳波を変える方法はいくつかあります。たとえば、アルファ波は目を閉じるだけで観察されることがわかっています。また、不安状態でも深呼吸をしたり、少しずつ気持ちを落ち着かせようとすると、アルファ波の状態に近づいていきます。

アルファ波の状態を長く続けることができれば、シータ波にまで至ります。わたしは手術中にたとえば血管が裂けて出血した場合、冷静になるために脳内で実況中継をしています。「今、側頭葉に至る脳動脈から出血が起きているな」「前に同じようなことが起きたときに中冨はどうしたのだろう？」と頭の中で状況説明をすることで平常心を取り戻せます。

恐怖していたものに不安が付きまとうというのは、悪いサインではありません。不安なときこそ集中に戻るチャンスなのです。ベータ波が永遠に続くことはないので、何かしらの工夫をすることで気づきのアルファ波に変化していきます。成功する、何か物事がうまくいっているときに人はシータ波の状態にいます。感情をコントロールすることは難しいものですが、脳波を切り替える作業と考えれば、工夫の余地はあります。

ストレスがかかってカッとなるときは、脳の感情エリアに一時的に血流が集まっていると考えられます。何か躊躇するときは、その脳の領域が活性化しているわけです。

増えすぎた脳血流量を下げるのにいちばんよいのは、**呼吸を変えること**です。脳血流量は脳血管内の二酸化炭素量でコントロールされているからです。

緊張した状態では息が止まっています。深呼吸をして二酸化炭素をより多く排出すると、脳内の二酸化炭素濃度が下がります。うっ血して活動性が高まっていた脳の領域に強制リセットをかけることができるのです。

ただし、数秒程度ではダメで、少なくとも**1分間呼吸リズムを整える**ことでダイレクトに血中の二酸化炭素濃度が変異します。負の感情エリアの活性化が収まるとは、呼吸によって感情をある程度コントロールできるということです。

深呼吸を続けて少し落ち着いてきたら、なぜ自分がカッとなったのかをよくよく考え直す。それがベータ波からアルファ波に切り替える作業です。

シータ波は禅寺の人が瞑想しているときに出している脳波のようです。このときに気づき、発見が起きやすくなります。脳波をコントロールできれば、脳活動を最大限生かした生活ができます。

脳波をコントロールする方法

・深呼吸

脳の血流がうっ血しているものを強制的に遮断するには、過呼吸か深呼吸で二酸化炭素の濃度を下げるしかありません。たしかに、はぁはぁと過呼吸気味になると一瞬頭が真っ白になります。そういう瞬間に不安は消えているはずです。

瞑想でも腹式呼吸でゆっくり深く呼吸をして副交感神経を刺激する手法が採られています。

・閉眼

目を閉じるだけでもアルファ波が出やすくなります。逆に目を開けて暗算をしたり、動画を見て音や光で刺激を与えたりすると、アルファ波が減ってしまいます。これをアルファブロッキングといいます。閉眼する瞑想でまず目を閉じてアルファ波が出るのは理に適っているのです。

・脳波計（ミューズ）

ミューズ（Muse）というアプリと連動した簡易に装着ができる脳波計があります。スマホアプリと連動して、脳波の状態をリアルタイムに映像や音でフィードバックしてあげることで、意識的に脳波をコントロールするトレーニングがあります。これはニューロフィードバックトレーニングと呼ばれ、たとえばアルファ波が強く出ているとスマホアプリから聞こえる音が強く大きくなるフィードバックになっています。

以前わたしが関わった脳科学研究でも「アルファ波が出ている脳はやる気が増しているのか、集中力が高いのか」を検証するために用いました。

実際に「BRAIN EXERCISE（ブレイン・エクササイズ）」というスマホアプリで脳波をコントロールするトレーニング後に脳機能検査をおこないました。スマホアプリから聞こえる音が強く大きくなるようにアルファ波を強化した状態でワーキングメモリーを使うような課題をさせると、成績が改善し脳波トレーニングが有意に効いていました。

千葉大学の痛みセンターでおこなわれた研究でも、薬の効きにくい難治性の慢性腰痛患者に対し、通常の治療方法に加えてニューロフィードバックトレーニングでアルファ波を強化すると、通常の治療方法だけおこなったときよりも有意に治療効果が改善していました。

脳の動きに対してフィードバックを変える。ニューロフィードバックが脳機能改善

ニューロフィードバックトレーニング
脳波計と連動したスマホアプリで自分の脳波を知り、意識的にコントロールする

に役立つ可能性があります。こういったトレーニングは前述した認知的予備力をつけることにもプラスになると思います。

ここまで脳トレについて話を進めてきましたが、訓練自体にやる気が起きないという方もいらっしゃるでしょう。私自身も同様です。新しいことや慣れていないことに取り掛かるのは億劫なものです。

わたしの場合には「とりあえず5分する」と決めています。さいわい仕事では多くの役割をいただいており、割り振ら

れている仕事量も多いので、つねに複数の仕事を抱えている状態です。そこでストップウォッチを持って「全部は無理でも5分だけやってみよう」ととりあえず始めてみる。少しでも進めておくと、次のミーティングでなんとか首をつないで乗り切ることができる。そんな日々です。ただ、5分続いたら、5割以上の確率でそのまま5分以上、作業を継続できます。

また、人のやる気は経験や記憶に紐づけられています。億劫なことは「嬉しい」「楽しい」「すばらしい」といった記憶に紐づいているタスクに変えることができれば、取り組もうと思えます。たとえば、同じ勉強でも教材を学習漫画に変えてみる。自分のいい思い出にすり替えることができれば、意欲が湧いてきます。

定年退職すると認知症になりやすくなるというのは、主軸となる活動を失ってしまうからです。カラオケでも歌舞伎を見に行くでも、若いときに好きだったことを改めてやってみる。何か主軸になる活動をもつことが、脳機能を維持するためにも重要です。

極限状況で開発される脳

わたしは15年前に世界特許をもつ医療機器を開発しました。神経機能をリアルタイムで見える化できるようにしたのです。

その機器にはモニタリング機能が搭載されていて、直前にどういう手技をしたら成功率が上がったのか、下がったのかがグラフで表示されます。将棋のテレビ中継で、ＡＩが有効な一手を予測して成功率を表示していくものと似ています。もし失敗をしてしまったら、一度手を止めて、直前にどういう手技をしたのかを振り返り、その場所は動かさないようにしよう、などとわかります。

また３Ｄ画像技術を手術に存分に取り入れたシミュレーションによって、すでに手術を一度終えたような状態で本番の手術に臨むことができます。これらの機器を見るために、ハーバード大学医学部の脳神経外科医ボブ・カーター教授も視察に来られました。

しかし、モニタリング機能は過去の手術のデータをもとに予測を弾き出します。これまでにない難治なケースでは成功率を示すグラフの数値は非常に不安定になります。

目の前で大出血が起こると異常な恐怖感に襲われます。頭に血が上り、アドレナリンが大量に出て瞳孔が開きます。すると、たくさんの光が入ってくるので目の前がかすんだり、見えづらくなります。

それでも恐怖感から逃げずに対峙し続けていると、少しずつ冷静になってきます。周りが火に囲まれていて八方塞がりなのに、心は落ち着いているといった状態でしょうか。そうした境地になった瞬間「ここの場所にクリップを使うといい」と、ふっと答えが浮かび上がってくるのです。

おそらく、自分の脳にはまだ未開発の領域があって、窮地のときにしか現れない脳波や脳血流の状態によって脳細胞が発火し、この難局をどうしたら乗り切れるか、フル回転で知恵を振り絞り、答えが導き出されるのだと思います。

目の前のことだけを見ていても答えが出ないのに、恐怖感に耐えていたら、ふっと答えが浮かんでくるといった経験を何度もしています。自分の脳に聞けば答えは出るのです。そうやって何度となく窮地を乗り越えてきました。

反対に、恐怖感に苛まれた瞬間に変なことをしないように注意しています。目の前で大出血が起きると、焦って手をパッと外してしまう外科医がいます。これは避けるべきです。目の前で何が起こっているかを正確に把握せず逃げようとすると十中八九、状況は悪化します。打ち勝とうとするのではなく並走することでいつしか恐怖感が薄れて、冷静さを取り戻せます。「こういうときはこうすればいい」という答えが必ず出てきます。たとえば、出血が起こると、問題がある箇所を同じ道具、同じ手段でなんとかしようとしてしまいがちです。しかし、出血箇所から少し離れたところで、違う道具、違う手段を使って処置することでうまくいくことが多いのです。

医者もキャリアを積んでいくと、難治な手術になかなか挑戦できなくなってきます。これは普通はできないだろうという領域に挑むのはリスクだからです。

わたしが担当するのは他院で手術の成功率が低いと言われてこられた難治な患者さんが多いので、十分なインフォームドコンセントをしたうえで、正直に伝えます。「様子を見ます」とおっしゃる方もいれば、経過観察した結果、悪化して手術をするしかないと覚悟を決めて再診に来られる方もいます。

患者さんと一緒に戦うのは、わたしや医療スタッフだけではありません。これまでたくさんの患者さんから感謝の言葉をいただいてきました。退院後、今度は自分がほかの人たちを救いたいと、医療従事者になられた患者さんもいます。

わたしの後ろにはたくさんの過去の患者さんがいて、難治な手術に挑むとき、その全部の記憶が寄り添ってくれているのです。患者さん一人ひとりの人生に自分の人生が紐づいている。きれいごとではなく、経験やケースという言葉では収まらない、患者さんとともに窮地を生き抜いてきた感覚がほんとうにあります。

そういうたくさんの方々と一緒に手術現場で戦っているのです。決して孤軍奮闘しているわけではありません。窮地を迎えたときには必ず過去の手術の記憶がよみがえってきて、答えを導き出してくれます。過去の患者さんたちがわたしを助けてくださいます。だから、恐怖に直面したときには自分の脳が答えを出してくれるまでじっと待つのです。

一般の人は手術という極限状況をなかなか体験しないと思います。しかし、脳を開発することはできます。脳神経外科医は人を相手にしているので、喜び、感謝、怒り、悲しみ、さまざまなものを味わいます。脳の前頭葉を多く使っているのです。ここがポイントです。

音楽でも絵画でもなんでもかまいません。喜びを感じるような活動を増やしていきましょう。できれば感謝のような高次元の喜びがたくさん発生するものが望ましいです。

わたしも患者さんからの感謝をたくさんいただいていることで、もっともっと難治な患者さんの力になれるように外科医として腕を磨いていきたい。新しい医療を創造していきたい。できるだけ長く手術の現場に寄り沿って、一人でも多くの命に貢献していきたいという思いが日増しに強くなっています。キャリアが浅いころには考えられなかったことです。命の現場で多くの感情を味わいながら、脳が開発されてきたのです。

おわりに

父・中冨清は肺門部の扁平上皮がんでしたが、放射線治療を受けながら自身の歯科医院で診療をしていました。ただ、頸動脈狭窄の検診をしておらず、放射線治療を終えたあと頸動脈の血栓が脳に飛んで脳梗塞を起こし、帰らぬ人となりました。

脳卒中は予防できるものです。脳神経外科医として、なぜ検診を受けさせなかったのだろうと、今でも忸怩たる思いがあります。

私自身も脳神経外科医として30年間を過ごし、人生の折り返し地点を迎えて、自分の医療技術を伸ばすだけではなく、後進に何が残せるのかを考えるようになりました。人生は脳に現れると述べましたが、振り返ると、自分の脳は、決して自分一人でつくり上げていったものではなかったのだと実感しています。

医師としてキャリアを歩み始めたときに師事した永田和哉先生はがんで化学療法を

受けながら、亡くなる前日まで手術を執刀されていました。恩師の上山博康先生は「医者は人生を手術する」という言葉を遺してくださいました。上皇陛下の主治医である天野篤先生は「医師道とは、自らを極限にまで追い込んで、高い能力を発揮できる心と力である」と述べられています。

「はじめに」で述べたとおり、「最高の脳とは何か?」をこの本で考えてきました。私なりに導き出した今現在の結論は、最高の脳とは最高の柔軟性をもった脳であるということです。脳番地の8つ(思考系、感情系、伝達系、理解系、記憶系、視覚系、聴覚系、運動系)で示されているような、全脳の機能を満遍なくフルに使える人こそ、最高の脳の持ち主と言えるのではないでしょうか。

加藤俊徳先生の研究によれば、あるピアノ演奏者にfNIRSを実施し、さまざまな演奏のなかでいちばん脳が活性化したのは即興でした。

じつはこの本には、脳を活性化させるための仕掛けが施してあります。混乱・恐怖のガンマ波、不安のベータ波、気づき・発見のアルファ波、成功のシータ波をそれぞれ象徴したイラストをさりげなく配置しています。始めから見返して、ぜひ4つのイラストを探し出してみてください。

人生で何が起こるのかは誰にも予想はつきませんが、そんなときでも臨機応変に、同時に自らの主軸となる活動からブレず、脳をバランスよく使っていくことができれば、最期に充実した人生を歩むことができたと思えるのではないでしょうか。今は亡き恩師の方々の生き方を見ていると、そう実感します。

そのために役立つのが、日進月歩で革新している医学です。私自身、その流れに遅れをとらないよう、つねに第一線に居続けるために、医療の知と心と技を融合し、脳を磨き続けていきたいと思っています。それが父の背中を見て育ち、さまざまな恩師たちから薫陶を受けて、追求していく私なりの医師道です。

最後に、本書を出版するきっかけを与えてくださった株式会社うぃずあっぷの芝蘭友さま、アチーブメント出版の塚本晴久社長、編集者の白山裕彬さま、脳神経外科医として何もわからなかったわたしを鍛えてくださった永田和哉先生、生涯の師である上山博康先生、脳神経外科医としての原理原則と哲学を教えてくださった齊藤延人先生、塩川芳昭先生。メイヨークリニックで師事させていただいたDavid Piepgras名誉教授、世界で医療を推進されている福島孝徳名誉教授。医師として刺激をつねにいただける存在の天野篤先生、脳神経外科医としての手術技術を惜しみなく教えてくださった米国シンシナティ大学脳神経外科のJohn M.Tew Jr.名誉教授、そのほかにもマルセイユ大学のJack Magnan名誉教授、シンシナティ小児財団のMasato Nakafuku教授、ドイツInternational Neuroscience InstituteのMajid Samii名誉教授などそれぞれの医師道を歩まれている先輩方、最後に手術で深夜早朝に帰宅する日々でも温かくサポートしてくれている家族、特に本書の構想から校閲に惜しみなく協力してくれた妻、恵美、天国で見守ってくれている父に御礼を述べて筆を擱かせていただきます。

2024年3月

中冨浩文

a serious game-based cognitive rehabilitation system for patients with brain injury (BMC Psychiatry, Nov,2023).
Dong Hyun Kim, Kun-Do Lee, Thomas C. Bulea, Hyung-Soon Park. Increasing motor cortex activation during grasping via novel robotic mirror hand therapy: a pilot fNIRS study(J Neuroeng Rehabil, Jan,2022).
Yen-Wei Chen, Kuan-Yi Li, Chu-Hsu Lin, Pei-Hsuan Hung, Hui-Tzu Lai, Ching-Yi Wu. The effect of sequential combination of mirror therapy and robot-assisted therapy on motor function,daily function, and self-efficacy after stroke(Sci Rep, Oct,2023).
Irena Labak , Darija Snajder, Mirna Kostovic Srzentic, Mirta Bensic, Marina Nist, Vesna Ilakovac, Marija Heffer. Writing and drawing with both hands as indicators of hemispheric dominance(Coll Antropol, Jan,2011).
Carly Dinnes, Karen Hux, Morgan Holmen, Alaina Martens, Megan Smith. Writing Changes and Perceptions After Traumatic Brain Injury: "Oh, by the way, I can't write"(Am J Speech Lang Pathol, Nov,2018).
酒井涼、山田克範、石田圭二、小林康孝、滝本貢悦：右利き者の左手書字動作分析－書字動作分析装置を使用した研究－（福井医療科学雑誌，2015年5月）
Seda Akutay, Özlem Ceyhan. The relationship between fear of surgery and affecting factors in surgical patients(Perioperative Medicine, Jun,2023).
Kazuhiko Takabatake, Naoto Kunii, Hirofumi Nakatomi, Seijiro Shimada, Kei Yanai, Megumi Takasago, Nobuhito Saito. Musical Auditory Alpha Wave Neurofeedback: Validation and Cognitive Perspectives(Applied Psychophysiology and Biofeedback, Apr,2021)
Keisuke Shimizu, Kazuhide Inage, Mitsuo Morita, Ryota Kuroiwa, Hiroto Chikubu, Tadashi Hasegawa, Natsuko Nozaki-Taguchi, Sumihisa Orita, Yasuhiro Shiga, Yawara Eguchi, Kazuhiko Takabatake,Seiji Ohtori.New treatment strategy for chronic low back pain with alpha wave neurofeedback(Scientific Reports, Aug,2022).

W Kemnitz,Richard Weindruch.Caloric restriction delays disease onset and mortality in rhesus monkeys(Science, Jul,2009).
Luis Rajman,Karolina Chwalek,David A Sinclair.Therapeutic potential of NAD-boosting molecules: the in vivo evidence.(Cell metabolism, Mar,2019).

第2部　脳を脅かす病を防ぐ

「訪問看護の現状とこれから2023年版」（公益財団法人日本訪問看護財団）
「令和元年版高齢者社会白書」（内閣府）
『脳卒中データバンク2021』（国循脳卒中データバンク2021編集委員会編、中山書店、2021年）
Yasuyuki Shima,Shota Sasagawa,Nakao Ota,Rieko Oyama,Minoru Tanaka,Mie Kubota-Sakashita,Hirochika Kawakami,Mika Kobayashi,Naoko Takubo,Atsuko Nakanishi Ozeki,Xiaoning Sun,Yeon-Jeong Kim,Yoichiro Kamatani,Koichi Matsuda,Kazuhiro Maejima, Masashi Fujita,Kosumo Noda,Hiroyasu Kamiyama,Rokuya Tanikawa,Motoo Nagane,Junji Shibahara,Toru Tanaka,Yoshiyuki Rikitake,Nobuko Mataga,Satoru Takahashi,Kenjiro Kosaki , Hideyuki Okano,Tomomi Furihata,Ryo Nakaki,Nobuyoshi Akimitsu,Youichiro Wada, Toshihisa Ohtsuka,Hiroki Kurihara,Hiroyuki Kamiguchi,Shigeo Okabe,Masato Nakafuku,Tadafumi Kato,Hidewaki Nakagawa,Nobuhito Saito,Hirofumi Nakatomi. Increased PDGFRB and NF-κB signaling caused by highly prevalent somatic mutations in intracranial aneurysms(Science translational medicine, Jun,2023).
https://cancer-c.pref.aichi.jp/site/folder6/1477.html
https://www.shiga-med.ac.jp/hqcera/news/documents/20170606.pdf
https://www.ncc.go.jp/jp/information/pr_release/2018/0717_02/20180717_05.pdf
https://www.med.kagawa-u.ac.jp/~neuron/medicalinfo/braintumor
https://kompas.hosp.keio.ac.jp/contents/000307.html
https://www.nms.ac.jp/hosp/section/neurosurgery/info/intracranial-meningiomas.html
https://www.env.go.jp/chemi/rhm/h29kisoshiryo/h29kiso-03-04-04.html

第3部　脳を育む―脳神経回路の活性化―

Cassiano Ricardo Alves Faria Diniz,Ana Paula Crestani. The times they are a-changin': A proposal on how brain flexibility goes beyond obvious to include concept of "upward" and "downward" to neuroplasticity(Mol Psychiatry, Dec,2022).
Davide Balos Cappon M.S.,Ph.D. Navigating Mild Cognitive Impairment:Prevention and Treatment(Hebrew SeniorLife Blog, Dec,2023).
Meysam Rahmani-Katigari, Fatemeh Mohammadian, Leila Shahmoradi. Development of

aging(Biochimica et Biophysica Acta (BBA)-Molecular Basis of Disease, Mar,2012).
『脳を鍛えるには運動しかない！最新科学でわかった脳細胞の増やし方』（ジョン J・レイティ、エリック・ヘイガーマン共著、野中香方子訳、NHK出版、2009年）
Lisa Weinberg, Anita Hasni, Minoru Shinohara, Audrey Duarte. A single bout of resistance exercise can enhance episodic memory performance(Acta psychologica, Sep,2014).
Samuel C Colachis,Collin F Dunlap,Nicholas V Annetta,Sanjay M Tamrakar,Marcia A Bockbrader,David A Friedenberg. Long-term intracortical microelectrode array performance in a human: a 5 year retrospective analysis(ournal of Neural Engineering, Aug,2021).
二宮利治：日本における認知症の高齢者人口の将来推計に関する研究（総括・分担研究報告書、平成26年度）
Anya Topiwala,Charlotte L Allan,Vyara Valkanova,Enikő Zsoldos,Nicola Filippini,Claire Sexton,Abda Mahmood,Peggy Fooks,Archana Singh-Manoux,Clare E Mackay,Mika Kivimäki, Klaus P Ebmeier. Moderate alcohol consumption as risk factor for adverse brain outcomes and cognitive decline: longitudinal cohort study(British Medical Journal, Jun,2017).
Iona Y Millwood,Pek Kei Im,Derrick Bennett,Parisa Hariri,Ling Yang,Huaidong Du,Christiana Kartsonaki,Kuang Lin,Canqing Yu,Yiping Chen,Dianjianyi Sun,Ningmei Zhang,Daniel Avery,Dan Schmidt,Pei Pei, Junshi Chen, Robert Clarke,Jun Lv,Richard Peto,Robin G Walters,Liming Li,Zhengming Chen,on behalf of theChina Kadoorie Biobank Collaborative Group. Alcohol intake and cause-specific mortality: conventional and genetic evidence in a prospective cohort study of 512000 adults in China(The Lancet Public Health, Dec,2023).
『老化は治療できる！』(中西真著、宝島社新書、2021年)
『LIFESPAN（ライフスパン）：老いなき世界』（デビッド・A・シンクレア 、マシュー・D・ラプラント共著、東洋経済新潮社、2020年）
S Imai,C M Armstrong,M Kaeberlein,L Guarente.Transcriptional silencing andlongevity protein Sir2 is anNAD-dependent histone deacetylase(Nature, Feb,2000).
Haim Y Cohen,Christine Miller,Kevin J Bitterman,Nathan R Wall,Brian Hekking,Benedikt Kessler,Konrad T Howitz,Myriam Gorospe,Rafael de Cabo,David A Sinclair.Calorie restriction promotes mammalian cell survival by inducing the SIRT1 deacetylase (Science, Jun,2004).
Ricki J Colman,Rozalyn M Anderson,Sterling C Johnson,Erik K Kastman,Kristopher J Kosmatka,T Mark Beasley,David B Allison,Christina Cruzen,Heather A Simmons,Joseph

参考文献

第1部　知られざる脳―もっとも守られていて、もっとも弱い臓器―

『アタマがみるみるシャープになる!脳の強化書』(加藤俊徳著、あさ出版、2010年)

Joshua K. Hartshorne, Laura T. Germine. When does cognitive functioning peak? The asynchronous rise and fall of different cognitive abilities across the lifespan(Apr,2016).

山本幹枝、和田健二:認知症有病率の時代的推移 ―洋の東西の比較(日本老年医学会雑誌55巻4号)

https://www.bbc.com/japanese/features-and-analysis-38061658

https://globe.asahi.com/article/13850368

篠原尚美:小児における脳機能発達の神経基盤(慶應保健研究,41(1),077-079,2023)

奈良隆寛:神経系の発達と発達神経解剖学(BME Vol.12, No.7, 1998)

川原信隆、中冨浩文、岡部繁男、栗生俊彦、田村晃、桐野高明、中福雅人:成体神経前駆細胞を用いた虚血損傷後の海馬神経細胞の再生誘導と脳機能回復(脳循環代謝学会誌, 2003年12月)

Nakatomi H, Kuriu T, Okabe S, Yamamoto S, Hatano O, Kawahara N, Tamura A, Kirino T, Nakafuku M. Regeneration of hippocampal pyramidal neurons after ischemic brain injury by recruitment of endogenous neural progenitors (Cell. 110(4): 429-41, 2002) .

征矢英昭:アルツハイマー病の次世代運動－栄養療法の開発(上原記念生命科学財団研究報告集,33,2019)

Toshinori Yoshioka, Daisuke Yamada, Riho Kobayashi, Eri Segi-Nishida, Akiyoshi Saitoh.Chronic Vicarious Social Defeat Stress Attenuates New-born Neuronal Cell Survival in Mouse Hippocampus(Behavioural Brain Research, Aug,2021).

Emily Underwood. Starting young(Science,vol.346,no.6209).

Valerie J. Sydnor, Bart Larsen, Jakob Seidlitz, Azeez Adebimpe, Aaron F. Alexander-Bloch, DaniS. Bassett, Maxwell A. Bertolero, Matthew Cieslak, Sydney Covitz, Yong Fan, Raquel E. Gur,Ruben C. Gur, Allyson P. Mackey, Tyler M. Moore, David R. Roalf, Russell T. Shinohara&Theodore D. Satterthwaite. Intrinsic activity development unfolds along a sensorimotor–association cortical axis in youth(Nature neuroscience, Mar,2023).

Katrine Fabricius 1, Jette Stub Jacobsen, Bente Pakkenberg. Effect of age on neocortical brain cells in 90+ year old human females--a cell counting study(Neurobiology of aging, Aug,2012).

David J Madden , Ilana J Bennett, Agnieszka Burzynska, Guy G Potter, Nan-Kuei Chen, Allen W Song. Diffusion tensor imaging of cerebral white matter integrity in cognitive

中冨浩文（なかとみ・ひろふみ）

脳神経外科医

福岡県生まれ。杏林大学医学部脳神経外科教授。東京大学医学部卒業。東京大学医学系研究科大学院脳神経医学卒業。医学博士。祖父、父が歯科医、母方祖父が医師の家系に生まれる。

日米通算4000例以上の執刀経験を有する脳と血管の温存・再生・再建を実現させる脳神経外科スペシャリスト。とくに、聴神経腫瘍、血管奇形、頭蓋底髄膜腫、脳動脈瘤の手術が専門。脳動静脈奇形の手術では手足の動き、感覚、視覚を変えない手術（温存率97%）をおこなう（Surgery for cerebral stroke. 2016）。

脳神経外科学会奨励賞（ガレーヌス賞）を受賞。2004年、脳卒中学会会員数6000名の中から一人が選ばれる日本心臓財団草野賞を受賞。また、2016年には最新の工学技術3D computer graphics技術を駆使しておこなう、脳動静脈奇形の手術シミュレーションの開発研究において鈴木二郎賞を受賞。「他では難しいと言われたオペも無事におこなってもらえて感謝している」「他では受けられない最先端医療だった」「食事や運動のことなど気軽に相談できた」など喜びの声が多数届く。

難易度の高い手術をバーチャルシミュレーションとリアルタイムモニタリングを常に比較検討しながら実施する手技を開発（VR法）。実際の手術では機能温存を最大限に可能とする手技を展開している。術中の神経機能の可視化技術で安全性、確実性を確保するVR法は、東京大学工学部との共同研究により開発され世界的特許を取得。聞こえを守る、顔を変えない「VR法の生みの親」として活躍。理化学研究所との共同研究により脳動脈瘤に関与する遺伝子変異を発見し、国際共同研究チームを立ち上げるなど、「新しい医療を創造する」という理念のもと、世界中のネットワークを駆使し、脳と血管の温存・再生・再建を実現する新たな医療の開拓者として奮闘している。

アチーブメント出版

X: @achibook

Instagram: achievementpublishing

Facebook: https://www.facebook.com/achibook

より良い本づくりのために、
ご意見・ご感想を募集しています。
お声を寄せてくださった方には、
抽選で図書カードをプレゼント!

脳は何歳からでもよみがえる

2024年（令和6年）4月6日　第1刷発行
2024年（令和6年）5月5日　第2刷発行

著　　者　中冨浩文
発 行 者　塚本晴久
発 行 所　アチーブメント出版株式会社
〒141-0031　東京都品川区西五反田2-19-2　荒久ビル4F
TEL 03-5719-5503 ／ FAX 03-5719-5513
https://www.achibook.co.jp

装丁・本文デザイン
三森健太（JUNGLE）
イ ラ ス ト　村林タカノブ
編 集 協 力　est Inc.
校　　正　株式会社ぷれす
印刷・製本　株式会社光邦

ISBN 978-4-86643-149-9